이상한 쌤의 IB 수업 도전기

이상한 쌤의 IB 수업 도전기

지은이 현승호

발 행 2023년 12월 22일
펴낸이 한성준 현승호
펴낸곳 좋은교사운동 출판부
출판등록번호 제2000-34호
주 소 서울특별시 관악구 남부순환로 218길 36, 4층
전 화 02-876-4078
이메일 admin@goodteacher.org

ISBN 978-89-91617-69-8   03370

IB프로그램?
그게 무시거꽈?

이상한쌤의
IB수업
도전기

좋은교사 연구실천 프로젝트 X 시즌II 33

현승호 지음

IB PYP
프로그램

학생의
자기주도성
신장

제주IB
종단연구
분석

좋은교사

천천히, 그러나 부지런히 풀어낸 교육 해법입니다

좋은교사운동은 우리 교육의 난제를 현장 교사들의 힘으로 풀어
내는 프로젝트를 진행해왔습니다. 이름하여 '좋은교사운동 연구실천
프로젝트 X'입니다. 여기서 'X'는 난제를 뜻합니다. 그리고 그동안
현장 교사들이 풀어낸 X의 답, 그러니까 현장에서 찾은 해법들을
단행본으로 출판하여 교육계에 제시해 왔습니다.

2022년에는 연구실천 프로젝트 X 시즌2를 진행했습니다. 시즌2
의 X는 그 주제를 '학교 자율 교육과정 만들기'로 한정했습니다.
2022년은 학교 교육과정 자율성의 가치와 내용을 담은 2022 개정
교육과정을 고시하는 해였기 때문입니다. 학교 자율 교육과정이 확
산되는 길목에서 현장 교사의 교육과정 설계-실천-성찰의 역량을
함양하고, 현장의 교육 변화를 주도하는 경험을 확산하고자 연구실
천 프로젝트 X 시즌2를 진행했습니다.

시즌2 프로젝트에는 총 6팀이 참여해 2022년 내내 현장 연구를 진행했고, 그 결과를 이제 단행본으로 내놓습니다. 우리 교육의 난제는 하나님도 못 풀 거라고 합니다. 그만큼 얽히고설켜 이제는 도저히 해결의 실마리를 찾을 수 없는 지경이 되었기 때문입니다. 미뤄둔 숙제들에는 그만의 이유가 다 있었을 테니까요.

그런데 이 난제를 풀겠다고 나선 6팀의 선생님들이 있었습니다. 6팀의 선생님들은 이 난제를 어떻게 풀었을까요? 오랜 숙제는 천천히, 그러나 부지런히 풀어야 풀 수 있습니다. 교육 당국이 내놓는 수많은 해법이 현장의 문제를 풀지 못한 데에는 단기 처방과 지속 처방이 없기 때문입니다. 그런데 이번 시즌2에 참여한 선생님들은 현장에 두 발을 굳게 딛고, 천천히 그러나 부지런히 하나씩, 하나씩 실마리들을 풀어내기 시작했습니다.

교실에서 교육 난제를 붙들고 씨름해 오신 6팀의 선생님들께 존경과 감사의 박수를 보냅니다. 선생님들께서 풀어 주신 실마리들이 모여 우리 교육의 회복으로 이어질 것입니다. 또한 연구 참여자들의 멘토로 활동해 주신 김성수 좋은교사운동 교육과정위원장님을 비롯한 교육과정위원회 선생님들께도 감사의 마음을 전합니다.

앞으로 좋은교사운동은 우리 교육의 수많은 X에 직면하고 X의 해법을 제시하기 위해 천천히, 그러나 부지런히 뛰겠습니다.

- 좋은교사운동 공동대표 한성준, 현승호

‖ 목 차

Ⅰ. 선생님, IB가 뭐예요?

1. 이상한 쌤, IB를 만나다

제가 IB를 처음 알게 된 것은 2017년이었습니다. 당시에 (사)좋은교사운동에서는 수능의 변화에 관심을 가지고 있었고, IB와 같은 평가 시스템에 관심이 많았습니다. 그래서 제주에 IB 수업을 하고 있는 국제학교 BHA(브랭섬홀 아시아)를 방문하기 위해서 좋은교사운동 리더들이 제주를 찾았습니다. 제주에 사는 제가 자연스레 합류하게 되었고, 함께 당시 BHA학교 교사였고, 지금은 표선고등학교 교장인 임영구 선생님을 함께 만나 IB의 글로벌한 채점 시스템과 교육방식에 대해서 귀동냥을 할 기회를 얻었습니다. 당시에 IB 교육을 받는 학생들이 외부평가를 통해서 디플로마를 받는 방식은 저에게도 상당히 신선하게 다가왔습니다. 평가의 공정성을 담보하면서도 핵심을 놓치지 않는 방식으로 보였습니다. 그때부터 IB 교육에 관심을 갖기 시작했고 이 책을 쓰기까지 오게 되었습니다.

다음 해부터 제주에서는 IB를 공교육에 도입하려는 시도가 도교육청 차원에서 시작되었습니다. 당시에 전교조 출신이었던 이석문 교육감은 자신의 친정이던 전교조의 강력한 반대에도 불구하고, IB를 공교육에 도입하려는 의지를 강하게 보였습니다. 그리고 2019년 여름 드디어 제주도 교육청과 IBO가 MOC를 체결하게 되었습니다.

교육 팟캐스트 방송 '샘샘샘'을 운영하던 저는 이러한 분위기에 맞춰 『대한민국의 시험』, 『서울대에서 누가 A+를 받는가』로 유명한 이혜정 박사를 게스트로 모셔 IB와 관련해서 여러 번 방송을 진행하기도 했습니다. 그 당시 '샘샘샘' 방송에서 저는 '이상한 쌤'이라는 부캐로 열심히 활동했었는데, 이혜정 박사와의 방송 덕분에 책에서는 알 수 없었던 IB에 대한 다양한 이야기를 들을 수 있었습니다. 그때부터였을까요. 막연하게 IB 학교에 근무해 보고 싶다는 생각을 하게 되었습니다. 국제학교에 갈 수는 없고, 제주에 IB 초등학교가 생기면 근무해 볼까? 이런 생각을 하게 되었습니다.

하지만 마침 저는 2020년부터 고용 휴직을 하고 (사)좋은교사운동에서 상근 교사로 근무하게 되었고, IB 학교에는 근무할 수 없게 되었습니다. 그렇게 IB와의 인연이 멀어지는구나 생각할 무렵, 이혜정 박사로부터 연락이 왔습니다. 2021년부터 표선 지역 IB 효과성 검증을 위한 종단연구를 진행하는데 함께하자는 제안이었습니다. IB에 대한 관심을 이어오던 터라 거절할 이유가 없었습니다.

덕분에 연구팀에 함께 하면서 표선초, 토산초, 표선중, 표선고의 학생, 학부모, 교사를 직접 설문하고 인터뷰할 수 있는 기회를 얻었습니다. 특히 표선초 교사와 아이들의 인터뷰는 같은 초등학교 교사로서 저를 놀라게 했습니다. IB 수업에 너무나 만족하며 다른 학교에 가고 싶어 하지 않는 아이들, IB 수업을 하면서 너무 힘들지만 보람을 느끼는 교사들의 이야기가 저를 들뜨게 했습니다.

2022년 복직하면서 어느 학교로 가야 하나 고민이 많았습니다. 저에게 강한 인상을 남긴 표선초등학교로 가고 싶었지만, 표선초를 연구하는 연구자가 표선초 교사가 되면 연구대상과 연구자가 중첩되어 갈 수 없었습니다. 결국, 그해 후보 학교가 되는 제주북초등학교에 미리 전화하고 지원했습니다. 저희 집에서 차로 왕복 1시간 20여 분 걸리는 거리, 제주도에서는 출퇴근 거리로 꽤 먼 거리입니다. 그럼에도 IB를 직접 경험해 보고 싶은 마음에 학교를 선택했습니다.

제주북초등학교는 제주도 최초의 공립학교입니다. 100년이 넘는 역사 속에서 4.3의 발단지이기도 할 만큼 과거에는 큰 학교였고, 도지사부터 국회의원까지 이 학교를 나오지 않는 사람이 없을 만큼 과거에는 명문 학교였습니다. 그러나 지금은 구도심의 12학급 즉, 한 학년에 2학급 밖에 없는 작은 규모 학교가 되었습니다. 남은 교실이 많아서 3층은 모두 방과 후 교실과 특별실로 활용되는 공간 여유가 많은 학교였습니다.

2월에 학교에 가보니 제가 맡을 3학년에만 기존 교사 없이 복직 교사인 저와 신규교사가 배정되어 있었습니다. 기존 학교 선생님들이 아무도 신청하지 않는 학년. 그게 제가 1년간 함께한 귀염둥이 제주북초 3학년 아이들이었습니다.

3학년 아이들을 처음 만났을 때 다소 멘붕이 왔습니다. '아, 이게

코로나 키즈구나.' 하는 생각이 들었습니다. 제대로 발표할 줄 아는 아이가 거의 없었고, 다른 아이가 이야기할 때 들어줄 줄 아는 아이들도 거의 없었습니다. 쉬는 시간이면 그 귀여운 외모에서 아주 찰진 쌍욕도 들을 수 있었습니다. 아스퍼거, ADHD, 난독, 간질, 도벽, 교실이탈, 선택적 함구, 아동학대 피해 등 정서적 지적으로 어려움이 있는 아이들이 저희 학년에 몰려있었습니다. 나름 교직경력 20년 차의 노련한 중견 교사임에도 쉽지 않았습니다. '이 아이들을 데리고 IB 교육을 할 수 있다면 어떤 아이들에게도 다 할 수 있겠다.' 이런 생각이 들었습니다.

1년이 어떻게 지나갔는지 모르겠습니다. 학급을 정상적으로 세우고 생활지도 하기에도 버거웠습니다. 그럼에도 불구하고 저와 신규 선생님은 교과서를 완전히 벗어나 새로운 교육과정을 만들어나갔고 2장부터는 그 이야기를 펼쳐보려 합니다.

2. 교육과정의 리모델링 VS 신축

우리나라에서 교육과정 자율화 논의는 크게 두 가지라고 저는 생각합니다.

하나는 교육과정 자율화를 위한 장치나 시수를 주는 방식입니다. 즉, 국가 교육과정이 세부적으로 다 짜여진 상태에서 20% 내에서 시수 증감이 가능하도록 한다거나, 창의적 체험활동에서 담임 재량 시수를 몇 시수 준다거나 하는 방식입니다. 사실 이것이 이제까지 교육과정에서 교육과정의 자율권을 부여하는 방식이었습니다. 이와 같은 방식을 저는 건축으로 치면 리모델링에 비유하고 싶습니다. 국가가 세부설계를 다 마치고 아니, 집을 다 지어놓고 리모델링을 좀 해보라는 수준으로 보입니다. 물론 리모델링을 해보신 분들을 아시겠지만 리모델링도 굉장히 어렵고 중요합니다. 리모델링을 어떻게 하느냐에 따라 완전히 다른 집이 되기도 하니까요! 이러한 리모델링 방식의 장단점이 있습니다.

우선 장점은 전국 모든 지역에 균일한 아파트를 제공해준다는 점입니다. 즉, 서울이건 시골이건 상관없이 비슷한 수준의 교과서로 일정 수준의 교육의 질을 유지시켜 주는 효과가 있습니다. 그동안 '교과서'로부터 벗어나고자 하는 시도가 많았지만, 실패했던 이유가 이와 같은 국가 주도 교육과정과 교과서가 주는 통일성과 안정감이 의외로 공교육에서 큰 역할을 해왔던 것이 사실이기 때문입니다.

하지만, 시대가 변하면서 이는 동시에 단점으로도 작용하게 되었습니다. 교육 지방 자치 시대를 넘어 각 학교의 학교 교육과정이 중요하게 여겨지고, 더 나아가 교사 교육과정까지 이야기되면서 교과서나 국가의 세세한 교육과정은 오히려 거추장스럽고 학교와 교사의 자율권을 침해하는 것으로 여겨지기 시작했습니다.

또한 이와 같은 리모델링 식의 교육과정 자율화, 또는 학교 교육과정 설계는 교사들을 교육과정의 인테리어 업자 정도로 만들지 건축가로 만들어 주지는 못한다는 단점이 있습니다. 그러다 보니 교사 커뮤니티를 중심으로 예쁜 인테리어 아이디어만 넘칠 뿐 건축가의 철학을 찾아보기 힘든 것이 현실입니다.

우리나라 교육과정 자율화 논의 다른 한 축은 아직까지도 이뤄지지 못하고 있는 '교육과정 대강화'입니다.

시대의 변화 속에서 기존의 소극적 의미의 자율화가 아닌 좀 더 적극적인 의미의 자율화에 대한 요구가 생겼습니다. '교육과정 대강화'는 리모델링과 대비되는 마치 신축공사와 비슷합니다. 우리가 직접 우리 지역과 우리 아이들의 상황과 특성에 맞는 집을 지으려고 하니, 국가는 부지를 마련하고 전기, 수도, 가스 같은 기초 설비만 하라는 것입니다. 몇 층짜리 집을 지을지, 방은 몇 개로 할지, 화장실은 몇 개로 할지, 지하실을 만들지 안 만들지는 모두 교사와 학생이 같이 만들어가겠다는 것입니다. 그래서 많은 혁신 학교들이 교육과정 편성 운영의 자율권을 이전보다 훨씬 많이 확보하게 되었습니다. 고등학교에서는 이러한 자율권이 안타깝게도 입시에 유리한 과목들을 더 많이 배치하는 방향으로 사용되어 본래의 취지를 흐려 놓기도 했습니다. 하지만 중학교와 특히 초등학교에서는 담임교사를 중심으로 교과 간의 벽이 허물어지고 학년 간의 벽도 쉽게 넘나드는 프로젝트 학습이 많이 설계되고 실행되었습니다. 그러나 여기에도 장단점이 있습니다.

장점은 정말 교사와 아이들이 함께 만들어가는 그 지역 그 학교만의 멋진 집을 지을 수 있다는 점입니다. 저는 많은 혁신 학교들의 드라마틱한 교육과정을 보았습니다. 특히 초등학교 사례가 많았는데, 정말 교사들의 노력이 대단했습니다. 이런 열정적이고 뛰어난 선생님들이 모인 학교에서는 더 많은 자율권을 요구하기도 합니다. 그러나 여전히 단점도 있습니다.

첫째로 각 학교 교사의 역량에 따라 으리으리하고 멋진 집이 되기도 하고, 때로는 기존의 아파트만큼도 못한 집이 되기도 한다는 점입니다. 이전에는 교사가 인테리어 정도만 잘하면 되었지만, 이제는 교사가 설계도 하고, 건축도 하고, 인테리어까지 해야 하기 때문입니다. '내가 이런 집을 지어봐야지!' 하는 생각에 기대감이 부푼 교사들이 함께 모인 학교와, '나는 아파트가 좋은데 나보고 집을 지으라는데, 어떻게 하라는 거지?' 하고 막연하게 생각하는 교사들이 모인 학교에서 짓는 집은 분명 다를 수밖에 없습니다. 준비 안 된 교사에게 자율이 부담되니까요.

둘째로 막연한 불신과 불안이 있을 수 있습니다. 학부모님들은 이 선생님은 이렇게 가르치고, 저 선생님은 저렇게 가르치는 부분에 대해서 다소 불안감을 호소하기도 하십니다. 전문적 학습 공동체가 잘 세워지지 못한 학교에서 막연히 재구성만 하라고 하면, 교사들 역시 교육과정을 재구성하면서 '내가 이렇게 해도 되나?' 하는 생각을 하기도 합니다.

그렇다면 IB 프로그램은 리모델링과 신축 중 어디에 속할까요? 제가 경험한 IB는 그 중간 정도라고 생각합니다. 아주 잘 안내된 집짓기 안내서 같았습니다.

"IB라는 집을 지을 때에는 꼭 이런 골조가 들어가야 합니다. IB 집을 지을 때 이런저런 점을 반드시 고려해야 합니다. 기둥은 7개를 세워야 하고, 방은 6개여야 합니다. 하지만 기둥의 길이, 두께, 방의 크기, 모양은 선생님이 상황에 맞게 알아서 하시면 됩니다."

이런 설명이 나온 안내서 같았습니다. 적절한 비유인지 모르겠지만 이와 같은 안내서로서의 교육과정에도 물론 장단점이 존재합니다.

우선 단점부터 이야기하면, 교육과정 재구성 능력이 뛰어난 선생님들에게는 위와 같은 안내가 불편하게 느껴질 수 있습니다. '나는 방을 7개 만들고 싶은데, 나는 기둥을 2개만 세우고도 집을 지을 수 있는데 왜 제한하지?' 하고 답답해할 수도 있습니다.

장점은 단점을 뒤집으면 장점이 되는데요. 바로 그런 가이드가 안정감을 주기도 합니다. 교육과정을 만들면서 '내가 이렇게 하는 게 맞나?'라는 생각이 들 때, '이렇게 할 수도 있겠구나.' 하는 생각을 하게 해줍니다.

저의 경우에 그러한 가이드를 따르려고 노력하면서 교육과정을 구성하는 연습이 나름대로 의미 있었습니다. 3학년 한 해를 가르치고 나니 내년에는 이렇게 해야겠다, 저렇게 했으면 좋았겠다 하는 생각들이 많이 떠올랐습니다. '기둥을 이리로 옮기면 더 좋았겠네. 이 방과 저 방은 좀 떨어뜨려 놔야겠다.' 하는 생각을 떠올릴 수 있어서 좋았습니다. 또한 나와 전혀 다른 성향의 선생님을 만나도 그 틀 안에서 같이 논의할 수 있는 점이 큰 장점이었습니다. 그냥 교과서 수업을 할 때는 동학년끼리 서로 논의할 필요가 없었습니다. 어차피 다 똑같은 집에 인테리어만 각자 알아서 하면 되니까요. 반대로 가이드 없이 완전히 교육과정을 재구성할 때에는 서로 생각하는 방향이 달라서 논의를 많이 했지만 의견 조율이 잘 안 되었을 경우, 같이 프로젝트 학습을 진행했음에도 불구하고, 옆 반 선생님이 해당 단원을 자기 반에서 다시 수업하는 모습도 볼 수 있었습니다.

하지만, 최소한의 가이드가 있는 경우에는 방을 몇 개 만들지, 기둥을 몇 개 세울지는 논의할 필요가 없고, 어떤 기둥을 어디에 세울지, 방을 어떤 크기로 어디에 배치할지만 의논하면 되었습니다. 물론 그 과정도 쉽지는 않았지만, 큰 방향의 철학이 서로 달라 싸울 필요는 없었습니다.

3. IB 프로그램

이제부터는 좀 더 구체적인 IB 프로그램에 대한 이야기를 해보려고 합니다. IB 교육과정은 크게 초등과정인 PYP, 중등과정인 MYP, 고등과정의 DP, 직업교육과정인 CP로 나눠집니다. 흔히 각각의 교육과정을 음식으로 비유하곤 하는데요. 저는 PYP를 각종 과일을 섞어 갈아 만든 주스에, MYP를 여러 가지 독립된 재료가 고추장에 잘 비벼진 비빔밥에, DP/CP는 여러 가지 독립된 재료가 자기 모습을 그대로 드러내는 김밥에 비유하고 싶습니다. 여기서 재료는 각 교과를 나타냅니다. 우리나라 교육과정은 여전히 교과 중심주의를 벗어나지 못하고 있는데, IB에서는 학제에 따라 어떻게 접근하고 있는지 살펴보고 그 특징을 알아보겠습니다.

가. 건강 주스 PYP

이것은 PYP가 각 교과 간의 벽이 없는 초학문적 학습 (transdisciplinary learning)을 추구함을 나타냅니다. 교과와 상관 없이 6가지 초학문적 주제에 맞춰 성취기준을 나누고, 1년 동안 6개의 대단원을 초학문적으로 다루게 됩니다. 물론 교과별로 독립적으로 다루는 부분도 있지만 이러한 초학문성이 MYP, DP와의 큰 차별성이라 하겠습니다.

〈PYP 초학문적 접근에 비유한 건강 주스〉

6가지 영양 주스인 초학문적 주제는 아래와 같습니다.

· 우리는 누구인가?(Who we are)
· 우리가 속한 공간과 시간(Where we are in place and time)
· 우리 자신을 표현하는 방법(How we express ourselves)

· 세계가 돌아가는 방식(How the world works)
· 우리 자신을 조직하는 방식(How we organize ourselves)
· 우리 모두의 지구(Sharing the planet)

이 6가지 주제를 1년 동안 모두 다루게 되고, 2학년 때도 3학년 때에도 6년간 이러한 주제를 매년 다루게 됩니다.

그렇다고 해서 해마다 같은 내용을 다루는 것은 아닙니다. 6가지 주제 아래에는 설명(하위주제)이 있습니다. 예를 들어 '우리는 누구인가?'라는 주제 아래는 '자아의 본질 / 신념과 가치 / 개인, 신체, 정신, 사회와 영적 건강 / 가족, 친구, 공동체 및 문화를 포함한 인간관계 / 권리와 책임 / 인간이라는 것은 무엇을 의미하는가에 대한 탐구'와 같은 설명(하위주제)이 있습니다. 그러면 교사와 코디네이터는 하위주제가 6개년 동안 적절히 다뤄질 수 있도록 조율하고 조정합니다. 그렇게 해서 학교 전체적으로 6년간 학생들이 균형 잡힌 학습을 할 수 있도록 POI(Programme of Inquiry)를 작성하게 됩니다.

학년별로 6가지 주스를 마시는 순서도 다르고, 주스를 만들 때 넣는 교과도 다릅니다. 4학년은 '우리는 누구인가?'라는 탐구 주제를 3월에 시작하면서, 도덕 4차시, 국어 12차시, 사회 18차시를 넣고 갈아서 단원을 구성합니다. 그러나 3학년은 같은 '우리는 누구인가?'를 6월에 도덕 10차시, 국어 20차시, 미술 10차시를 넣고 갈아서 만듭니다. 교사와 아이들에 따라 달라질 수 있습니다.

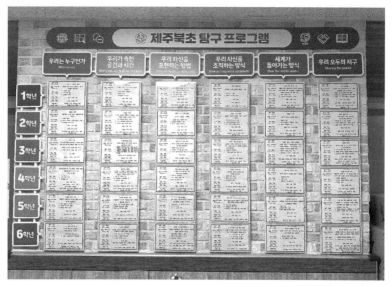

〈2022학년도 제주북초등학교 POI〉

이렇게 6개년의 POI를 작성하지만 수업을 진행하면서 많은 부분이 바뀌고 아이들과 만들어가는 과정이 있습니다. 각 학년에서는 이러한 POI에 기초해서 6개의 초학문적 주제에 기반한 6개 탐구 단원을 개발합니다. 이를 우리는 UOI(unit of Inquiry)라고 부릅니다. 여러 교과의 성취기준이 초학문적 주제에 녹아져서 한 달에서 두 달가량 진행되는 대단원을 6개 만든다고 볼 수 있습니다.

특히 6학년의 경우에는 학년 말에 '전시회'를 갖습니다. 이제까지 교사와 함께 탐구 학습을 했다면, 전시회는 학생들이 스스로 탐구 주제를 정하고 진행해서 그 결과를 발표하는 시간입니다. 단, 대학 원생들이 논문을 쓰기 위한 연구는 혼자 하지만 지도 교수님께 지도를 받는 것처럼 아이들도 탐구를 진행하면서 학교 선생님 중에

지도 교사를 정하고 지도를 받게 됩니다. 한 반에 학생이 20명이면 최대 20가지 탐구 주제도 나올 수 있는 것이어서 담임 혼자 모든 아이를 봐줄 수는 없고 학교 전체 선생님들이 아이들을 2~3팀씩 맡아서 아이들의 탐구과정을 격려해 주곤 합니다. 그렇게 탄생한 탐구 결과를 보고하는 자리이니 '전시회'는 PYP의 꽃이라고도 할 수 있습니다.

나. 비빔밥 MYP

중등과정인 MYP를 저는 비빔밥에 비유하고 싶습니다. 각각 재료의 특성은 살아 있지만, 한 그릇에 담겨 맛있는 고추장에 비벼져 한입에 쏙 들어가는 비빔밥 말입니다. IB MYP는 비빔밥과 같은 간학문적 학습(Interdisciplinary)을 추구합니다. 초등과 달리 교과 간의 벽이 높은 중등에서 서로 성취기준을 공유하고 교과를 넘나들며 평가하는 간학문적 학습이 저는 가장 어려워 보입니다. 비빔밥이 각각의 재료를 비비는 노력이 필요하듯, MYP도 그런 것 같습니다.

초등학교처럼 담임이 모든 교과를 가르친다면 각 교과를 성취기준 중심으로 믹서기에 적절히 넣어서 갈아버리겠지만, 각각 교과 교사가 존재하는 중등에서는 그럴 수 없습니다. 각 교과의 특징은 여전히 살아 있으면서 그것을 어떤 맥락으로 엮어야 합니다. 그래야 아이들이 제대로 된 영양을 섭취할 수 있습니다.

〈MYP의 간학문성을 표현한 비빔밥〉

이 비빔밥의 양념장에 해당하는 것이 MYP에서는 세계적 맥락 (Global Contexts)에 해당한다고 할 수 있겠습니다. 이 세계적 맥락은 PYP시절에 다뤘던 6가지 초학문적 주제와도 연결됩니다.

PYP 6가지 초학문적 주제		MYP 6가지 세계적 맥락[1]
우리는 누구인가?	→	정체성 및 관계
우리가 속한 시간과 공간	→	시간과 공간의 지향
우리 자신을 표현하는 방법	→	개인적, 문화적 표현
세계가 돌아가는 방식	→	과학 기술 변혁
우리 자신을 조직하는 방법	→	세계화 및 지속 가능성
지구 공유하기	→	공정성과 개발

---

1) Primary Years Programme Learning & teaching, IB, IBO.

PYP에서는 6가지 초학문적 주제를 중심으로 각 교과를 갈아 넣어 완전히 새로운 탐구 단원을 만들었지만, MYP에서는 각 교과에서 탐구 단원을 짤 때 6가지 세계적 맥락을 고려해서 단원을 짭니다. 각 교과에서 이 세계적 맥락을 고려해서 단원을 설계함으로써 결과적으로 6가지 세계적 맥락을 모두 다루게 됩니다. 즉, 각 교과 교사가 수업하지만 학생 입장에서는 결과적으로 세계적 맥락으로 잘 비벼진 비빔밥을 먹는 셈입니다.

　그래서 MYP 탐구 단원을 구성할 때는 교과별로 6가지 세계적 맥락을 병기하기도 합니다. 나중에 각 교과를 세계적 맥락별로 모아 보면 아이들이 그 맥락에서 어떤 어떤 과목을 배웠는지도 알 수 있게 됩니다.

　이때 코디네이터의 역할이 매우 중요합니다. 코디네이터란 우리나라 공립학교에는 없는 개념인데요. 직급은 교감급이면서 교육과정 부장, 교사들의 교사 역할을 한다고 해야 할까요? IB 학교에서는 이 코디네이터가 정말 중요합니다. 코디네이터는 어떤 교과 교사인가에 상관없이 각 교과의 교육과정 흐름을 파악하고 학교 전체의 교육과정이 6가지 세계적 맥락에 맞게 아이들에게 어떻게 하면 적절히 제공될 수 있을지 고민해야 합니다. 그래서 교과를 넘나들면서 교과 교사들이 단원을 계획할 때 조언을 줄 수 있어야 합니다.

　예를 들어 과학 교사가 탄산가스에 대해서 가르치고, 윤리 교사가 공정성에 대해 가르치고, 사회 교사가 개발 도상국에 대해서 가르치고자 한다고 한다면 코디네이터가 이를 공정성과 개발이라는 세계적 맥락으로 엮어서 이를 비슷한 시기에 수업하도록 조정하는 역할을 할 수 있습니다. 각 교과 교사는 자기 교과밖에 모르기 때문에 할 수 없는 역할을 코디네이터가 해주는 것입니다. 그 외에도 코디네이터의 역할은 매우 많습니다.

다. 자신만의 김밥을 말아먹는 DP

〈다학문에 비유한 김밥〉

고등학교의 DP 과정, 정확히 이야기하면 고등학교 1학년은 프리 DP 과정으로서 DP를 준비하는 시기이고 본격적인 DP는 2학년과 3학년 과정입니다. 저는 DP 과정을 김밥에 비유하고 싶습니다. 김밥은 속에 각각의 재료를 모두 구분해서 볼 수 있습니다. 즉, 각 학문의 특성이 잘 반영되는 다학문적 학습(multidisciplinary)을 추구합니다. 각 학문의 깊이가 깊어지는 만큼 당연하다고 여겨지는 부분입니다. DP 과정은 각 학생의 선택에 따라 야채를 많이 넣어 야채 김밥을 만들 수도 있고, 고기를 많이 넣어 고기 김밥을 만들 수도 있습니다. 김밥에는 6가지 재료(교과)가 꼭 들어갑니다. 외국어 (영어) / 언어와 문학(한국문학, 국어) / 과학(물리, 화학, 생물, 지구과학, 환경, 보건, 컴퓨터 등) / 수학 / 개인과 사회(역사, 지리, 경제, 심리, 철학, 경영, 사회 문화 등) / 예술(미술, 음악, 연극, 영화, 댄스 등) 입니다. 학생들은 이 중에 SL(standard level) 3과목, HL(high level) 3과목을 골라서 SL은 150시간, HL은 240시간을 이수해야 합니다.

즉, 스스로 내가 어떤 재료를 더 많이 넣을지 선택하는 것입니다. 특별히 예술 교과는 선택하지 않고, 개인과 사회 혹은 과학 과목을 추가 선택할 수도 있습니다.

평가는 외부평가와 흔히 내신이라고 이야기하는 내부평가를 합해서 과목마다 7점을 만점으로 합니다. SL 3과목, HL 3과목 점수가 7점씩이니 교과 점수 만점 합계는 총 42점이 됩니다. 각 학교마다 내부평가 비율이 20~50%를 차지하고, 외부평가 비율이 50~80%를 차지합니다. 학교마다 차이가 있습니다.

김밥의 속 재료들은 그렇고, 결정적으로 김밥에 밥과 같은 역할을 하는 교과가 있는데 바로 지식론(Theory of Knowledge, TOK)과 소논문(EE)입니다.

IB DP의 필수과목인 TOK는 번역하면 '지식에 대한 철학적 접근' 정도가 될 것 같습니다. 그렇다고 철학 수업은 아니고요. 지식론에 관한 수업이라고 보면 될 것 같은데요. 즉 공부에 대한 공부, 학문에 대한 학문이라고 할 수 있을 것 같습니다. 우리가 흔히 IB

가 토론 중심이라고 이야기하는 이유가 바로 이 TOK 때문입니다. TOK 교사는 따로 있는 것이 아니라 해당 학교의 어떤 교과 교사건 TOK를 가르칠 수 있습니다. 100시간을 공부하게 되며 평가는 100% 외부평가로 치러집니다. 아래의 TOK 문제 예시와 소논문(EE) 주제의 예시는 이혜정 외 6분이 쓰신 『IB를 말하다』(창비)와 표선고등학교 사례를 참고하였습니다.

- '지식은 우리가 누구인지 알려준다.' 이 말은 인문학 및 다른 지식 영역에서 어느 정도나 진실인가?
- '세상을 이해하기 위해 우리는 고정관념을 사용할 필요가 있다.' 이 말에 대해 어느 정도나 동의하는가? 2가지 지식 영역을 참고하여 논하시오.
- 좋은 설명은 반드시 진실이어야만 하는가?
- '자연과학에서는 진보가 가능하지만 예술에서는 진보가 불가능하다.'라는 말에 얼마나 동의하는가?

이러한 자신의 생각을 꺼내는 질문들 때문에 IB가 요즘 시대에 더 각광을 받고 있는 것이 아닌가 싶습니다.

그리고 소논문(EE)이 있는데, 이는 우리나라에서 비교과 활동으로 사교육 논란이 되었던 소논문과는 다른 개념으로 IB 교과로서 존재하는 소논문입니다. TOK와 달리 질문이 주어지지는 않고, 학생 자신이 주제를 정해야 합니다. 그러면 지도 교사와 40시간가량 조언과 상담을 받으며 스스로의 힘으로 4,000자 이하의 논문을 작성합니다. 소논문 역시 100% 외부평가를 받으며 소논문(EE)과 지식론

(TOK)을 합해 총 3점을 받습니다. 소논문 주제는 다양한데 몇 가지만 예를 들면 이렇습니다.

- 무설탕 껌이 식후 침의 산성도에 미치는 효과에 관한 연구
- 제주 전통 갈옷을 만드는 감즙의 항균력은 감즙 보관 온도에 따라 어떻게 다른지에 관한 연구
- 감귤밭 1Ha에 드론을 이용하여 농약을 뿌릴 때 가장 효과적으로 농약을 분사하는 높이에 관한 연구

마지막으로 점수를 받는 방식이 아니라 필수 이수 과목으로 김밥에서 김과 같은 역할을 하는 과목이 있는데, 바로 CAS(창의, 신체활동, 봉사)입니다. CAS는 주 3~4시간씩 18개월 동안 총 150시간으로 이수하지 않으면 디플로마가 수여되지 않습니다.

II. IB 탐구 단원이 만들어지기까지

지금부터는 제가 수업한 초등 PYP에 대해 좀 더 자세히 살펴보 겠습니다. PYP의 특징은 앞에서도 언급한 것처럼 6가지 초학문적 주제를 다룬다는 것입니다. 그중에서 이 책에서 소개할 단원은 '우 리 모두의 지구'라는 초학문적 주제 아래에서 개발한 3학년 '지구와 동물'이라는 단원입니다. PYP에서 UOI(탐구 단원)를 만들 때는 단 순히 초학문적 주제와 하위 주제만을 가지고 만들지는 않습니다. 단원을 설계할 때는 촘촘하게 생각해야 할 많은 요소가 많습니다. 학습자상, 핵심 개념, 학습접근방법 등이 그것입니다.

1. IB 학습자상

IB 학습자상은 10가지가 있습니다. 이는 PYP, MYP, DP/CP를 통틀어서 모두 동일합니다. 모든 IB 프로그램의 목표는 인류의 공 통과제에 관심을 두고 세계를 함께 지켜나갈 책임을 다하는 청소년들이 국제적 소양을 갖춘 인재로 성장하여, 더 평화롭고 보다 나은 세상을 만들어나갈 수 있도록 돕는 것입니다. 그래서 IB 학습자는 PYP, MYP, DP/CP 할 것 없이 모두 다음의 역량을 추구합니다.

학습자상	내용
탐구하는 사람	우리는 호기심을 키워 탐구하고 연구하는 능력을 향상시킵니다. 우리는 독립적으로 또 다른 사람과 함께 배우는 법을 압니다. 우리는 열정을 가지고 배움에 임하며, 학습에 대한 열의를 늘 잃지 않습니다.
지식이 풍부한 사람	우리는 개념적 이해를 통한 성장을 지향하며, 다양한 학문의 지식을 탐구합니다. 우리는 지역적이고 세계적으로 중요한 사안들과 의견에 관심을 기울입니다.
사고하는 사람	우리는 비판적이고 창의적인 사고력으로 복잡한 문제를 분석하며 책임 있게 행동합니다. 우리는 합리적이고 윤리적인 의사결정을 주도합니다.
소통하는 사람	우리는 하나 이상의 언어와 다양한 방법으로 창의적이고 자신 있게 우리 자신을 표현합니다. 우리는 다른 개인과 집단의 의견을 경청하며 효과적으로 협력합니다.
원칙을 지키는 사람	우리는 공정성과 정의감을 바탕으로 인간의 존엄성 및 권리를 존중하며, 성실하고 정직하게 행동합니다. 우리는 우리 자신의 행동과 그 결과에 따른 책임을 집니다.
열린 마음을 지닌 사람	우리는 비판적인 사고를 통해 우리 고유의 문화와 역사를 바라보고 타인의 가치관과 전통을 수용합니다. 우리는 다양한 관점을 추구하고 평가하며, 경험을 통해 성장합니다.
배려하는 사람	우리는 서로 공감하고 격려하며 존중합니다. 우리는 봉사 정신을 갖고, 타인의 삶과 지역사회에 긍정적인 변화를 도모합니다.

학습자상	내용
도전하는 사람	우리는 철저하게 계획하고 의사결정을 내려 불확실성에 도전하며, 독립적으로 또 협력을 통해 새로운 아이디어와 혁신적인 전략을 모색합니다. 우리는 도전과 변화에 맞서 굴복하지 않고 슬기롭게 대처해 나갑니다.
균형 잡힌 사람	우리는 자신과 타인의 행복을 위해 삶의 지적, 물리적, 정서적 균형을 이루는 것이 중요하다는 것을 알고 있습니다. 우리는 타인뿐 아니라 우리가 살아가는 세상과도 상호 의존함을 인지하고 있습니다.
성찰하는 사람	우리는 세상과 자기 생각 및 경험에 대해 깊게 생각합니다. 우리는 개인의 학습과 성장에 도움이 되도록 우리 자신의 강점과 약점을 이해하려고 노력합니다.

〈IB 학습자상2)〉

2022 개정 교육과정에서도 자기 주도적인 사람, 창의적인 사람, 교양 있는 사람, 더불어 사는 사람이라는 인간상이 교육과정 상에 제시되어 있습니다. 하지만, IB 학습자상이 보다 강력한 이유는 그 내용 때문이 아닙니다. IB 학습자상의 활용 때문입니다. 크게 두 가지인데요.

첫째는 이 학습자상을 모든 탐구 단원을 구성할 때마다 집어넣습니다. 예를 들어 앞에서 언급한 6가지 초학문적 주제 중에 '우리가 속한 시간과 공간'이라는 주제가 있습니다. 3학년에서는 과거와 현재의 이동수단에 대해서 배우기 때문에 이를 연결해서 "타임머신을

---

2) Primary Years Programme The Learner, IB, IBO.

타고"라는 제목의 대단원을 구성했습니다. 그러면 반드시 단원을 학습자상과 연결합니다. 단순히 그냥 칸을 채워 넣는 수준이 아니라, 큰 대단원 안에서 소단원이 각각의 학습자상과 연결되기도 합니다. 이 단원은 지식이 풍부한 사람, 탐구하는 사람, 소통하는 사람이라는 학습자상을 연결했습니다. 아래 대단원 구성 예시를 참고하세요.

초학문적 주제	우리가 속한 시간과 공간		
단원명	타임머신을 타고		
운영 시기	10월 3주~11월 3주 (6주)		
중심 아이디어	과학기술의 발전은 사람들의 ****** **** **** 다.		
핵심 개념	형태, 변화, 인과	관련 개념	생활방식, 변화, 시간, 기술, 발전
학습자상	지식이 풍부한 사람, 탐구하는 사람, 소통하는 사람	학습 접근 방법	조사기능(정보처리능력-데이터 수집 및 기록/종합 및 분석) 다양한 사실들로부터 공통점 찾기 다양한 사실들을 비교하여 차이점 찾기 사고기능(암묵적) 의사소통 기능(암묵적)
행동	과거, 현재, 미래의 생활방식이 드러난 시나리오를 작성하고 역할극으로 표현하기		
탐구 목록	1. 과거의 생활 모습 조사하기 2. 변화된 현재의 생활 모습 비교하기 3. 미래의 생활 모습 예상하고 표현하기		

〈2022학년도 제주북초등학교 3학년 UOI〉

탐구 목록 1. 과거의 생활 모습 조사하기는 지식이 풍부한 사람과 연결하고, 2. 변화된 현재의 생활 모습 비교하기는 탐구하는 사람과 연결되며, 3. 미래의 생활 모습 예상하고 표현하기는 소통하는 사람과 연결했습니다.

2015 개정 교육과정에서 프로젝트 학습을 구성하거나 교육과정을 재구성할 때 저렇게 교육과정이 추구하는 인간상을 고려해서 작성한 적이 있었는지 생각해 보게 됩니다.

둘째로, 학습자상이 실제 생활지도에도 꾸준히 활용된다는 점입니다. IB 교사 경력이 1년밖에 되지 않은 저는 아직도 그 수준에 이르지 못한 것 같습니다. 그러나 노련한 IB 교사들은 학습자상 10가지를 거의 입에 달고 사는 것 같았습니다. 배려하지 않는 아이들에게는 '배려하는 사람'을, 수줍어하는 아이들에게는 '도전하는 사람'을, 책만 읽고 밖에 나가기 싫어하는 아이들에게는 '균형 잡힌 사람'을 계속 학습자상과 연관 지어서 생활지도 하는 모습이 대단히 인상적이었습니다. 또한 10가지 학습자상은 초등학교 6년 내내 교실에 게시되어, 교사가 이야기하고 각 단원마다 연결해 가르치게 됩니다. 게다가 중학교에 갔더니 또 교실에 저 10가지 학습자상이 게시되어 있고, 각 단원마다 다시 이야기된다면 어떨까요? 심지어 고등학교까지…. 내면화는 분명 반복에 의해서 형성되는 측면이 있습니다. 그런 의미에서 이렇게 꾸준히 수업과 생활지도에서 강조되는 학습자상은 상당히 강력해 보였습니다.

2. 핵심 개념

IB PYP가 초학문성을 유지할 수 있도록 해주는 핵심적인 요소가
바로 7가지 핵심 개념이라고 할 수 있습니다.

핵심 개념	질문	일반관점
형태	어떠한 형태를 띠고 있는가?	모든 것은 관찰, 식별, 묘사 및 분류할 수 있는 인식 가능한 특징을 가진 형태를 가지고 있다.
기능	어떻게 작동하는가?	모든 것은 목적, 역할 또는 관찰될 수 있는 행동 양식이 있다.
인과	왜 그런 것인가?	어떤 일은 그냥 일어나지 않는다. 사건들 사이에는 인과관계가 있으며, 행동에는 결과가 따른다.
변화	어떻게 변하는가?	변화는 한 상태에서 다른 상태로의 이동 과정이다. 변화는 보편적이고 필연적이다.
연결	다른 것들과 어떻게 연결되어 있는가?	우리는 개별 요소의 행동들이 다른 요소들에 영향을 미치는 상호작용 시스템의 세계에서 살고 있다.
관점	어떤 관점을 가지고 있는가?	지식은 관점에 따라 구성된다. 서로 다른 관점은 다른 해석, 이해, 발견으로 이어진다. 관점은 개인, 집단, 문화, 또는 교과의 특징에 따라 달라질 수 있다.
책임	우리의 의무는 무엇인가?	사람들은 각자의 이해, 신념, 가치관을 바탕으로 선택을 하고, 그 결과 취하게 되는 행동은 차이를 만든다.

〈핵심 개념3)〉

---

3) IB, Primary Years Programme, Learning & teaching, p48.

한 탐구 단원에서 보통 2~3개의 핵심 개념을 다루게 되고, 1년 동안 7가지 모든 핵심 개념을 한 번 이상 다루게 됩니다.

이 개념이라는 것은 본래 개개의 구체물로부터 비본질적인 것은 버리고, 본질적인 것만을 추출해내는 사유의 한 형식이라고 사전적으로 정의되어 있습니다. 즉, 자동차, 자전거, 보트, 비행기가 있으면 이들을 묶는 상위 개념은 이동수단이 될 것입니다. 그리고 이동수단, 통신 수단, 결제 수단 등을 묶는 개념은 수단 즉, 도구가 될 것입니다. 다시 여러 도구를 묶는 상위 개념은 아마도 그 도구들의 '기능'이 될 것입니다. 예컨대 이런 식으로 학생이 학습할 대상들의 개념을 찾고 찾다 보면, 각각의 물질과 현상의 개념을 더 위로 위로 묶어 올라가다 보면 결국 저 7가지 개념이 남지 않을까 생각했던 모양입니다. 가만 생각해 보면 그런 것도 같습니다.

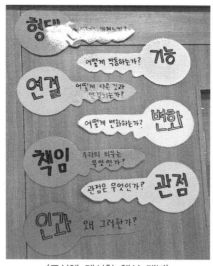

〈교실에 게시한 핵심 개념〉

3. 학습접근방법 - ATL(Approaches To Learning)

IB에서는 학습접근방법을 명시적으로 가르치는 것을 중요하게 생각합니다. 어떤 학습접근방법을 이번 탐구 단원에서 명시적으로 또는 암묵적으로 가르칠 것인가를 결정하고 이를 UOI(탐구 단원)에 반영합니다. 일종에 학습을 위한 기능, 기술이라고 볼 수 있습니다.

범주	하위기능
사고 기능	· 비판적 사고 기능(이슈 및 아이디어 분석 및 평가) · 창의적 사고 기능(새로운 아이디어 창출 및 새로운 관점 고려) · 전이 기능(여러 맥락에서 기능과 지식 사용) · 성찰/메타인지 기능(학습 과정 고려)
조사 기능	· 정보 처리 기능(제시 및 계획, 데이터 수집 및 기록, 종합 및 해석, 평가 및 소통) · 미디어 리터러시 기능(미디어와 상호작용하여 아이디어와 정보를 사용하고 생성) · 미디어/정보의 윤리적 이용(사회적, 윤리적 기술의 이해 및 적용)
의사소통 기능	· 정보 교환 기능(듣기, 해석, 말하기) · 문해 기능(정보를 수집하고 전달하기 위한 언어 읽기, 쓰기 및 사용) · ICT 기능(기술로 정보 수집, 조사 및 전달)
대인관계 기능	· 긍정적인 대인관계 및 협력 기능 개발(자기 통제 사용, 장애(차질) 관리, 동료 지원) · 사회 정서적 지능 개발
자기관리 기능	· 조직 기능(시간 및 작업을 효과적으로 관리) · 마음 상태(마음 챙김, 인내심, 정서 관리, 자기동기부여, 회복 탄력성)

〈학습접근방법4)〉

---

4) IB, Primary Years Programme, Learning & teaching, p29.

이 5가지 기능 역시 1년 동안 6개 단원을 운영하면서 적절히 반영되어 가르치게 됩니다. 또한 PYP, MYP, DP/CP 과정 모두에서 5가지 ATL(학습접근방법)은 그 하위 기능이 좀 더 세분화될 뿐 단원을 탐구할 때 항상 이 5가지 기능을 사용하여 탐구 학습을 하게 됩니다.

그래서 IB 교실이라면 어디에나 ATL이 다양한 방식으로 게시된 것을 볼 수 있습니다.

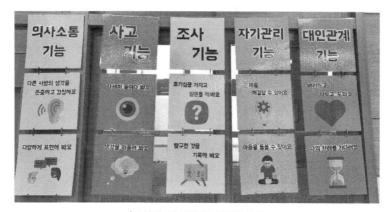

〈교실에 게시한 학습접근방법〉

4. 교수접근방법 - ATT(Approaches To Teaching)[5]

IB에서는 교수접근방법을 명시적으로 안내하고 있습니다. 즉, 아

---

5) Approaches to learning and approaches to teaching in the Middle Years Programme(2023)에서 발췌해서 재구성한 내용임.

래의 6가지 방법을 이용하여 가르치라고 안내하고 있는 것입니다.

· **탐구적 질문에 기반합니다.** 학생들이 <u>스스로</u> 정보를 찾고 이해하는 데 중점을 두고, 이를 위한 탐구 질문을 만드는 데 상당한 시간을 보냅니다.

· **개념 이해를 강조합니다.** 학생들이 개념을 탐구하고 학문을 깊이 있게 이해하도록 도와야 합니다. 이해한 것을 연결하고 새로운 맥락으로 전환시킬 수 있도록 도와야 한다는 점을 IB 교사들은 항상 생각해야 합니다.

· **지역적이고 국제적 맥락과 연결 지으려 해야 합니다.** 실제 우리 지역의 이야기를 다루고, 학생들이 새로운 정보를 자신이 속한 세상과 연결해서 처리할 수 있도록 돕습니다. 예를 들어 뒤에 소개할 단원에서 지역사회 사람들에게 캠페인을 벌이는 이유도 바로 이러한 ATT에 근거한 것입니다.

· **효과적인 팀워크와 협력에 집중합니다.** 모둠이 같이 수행해야 하는 탐구 과제나 액션이 많은 만큼 학생들 사이에 팀워크와 협력을 촉진합니다. 또한 수업에 있어서 교사와 학생 사이의 협력적 관계 구축도 중요하게 생각합니다.

· **학습의 장벽을 제거하는 데 신경을 씁니다.** 특히 한국도 다문화 학생들이 많아지는 만큼 학생들의 학습에 장벽이 있는지 파악하고 이를 제거하며 포괄적이고 다양성을 중시하는 교육을 합니다.

· **평가 정보를 활용합니다.** 학생들에게 효과적으로 피드백하기 위해서 평가 정보를 활용합니다.

이와 같은 교수접근방법은 단원 계획서에는 명시적으로 드러나지 않지만, 항상 교사가 수업함에 있어서 생각하고 있어야 합니다. 이와 같은 ATT 역시 PYP, MYP, DP/CP 과정 모두에서 중요하게 생각되며 강조됩니다. 초등학교, 중학교, 고등학교 할 것 없이 IB 교사라면 위와 같은 교수 원칙을 가지고 수업을 하는 것입니다.

5. 단원 계획서 - Unit Planner

그러면 한 단원의 예를 들어 보겠습니다. 제주북초등학교는 [그림 7]과 같이 연간지도계획 및 평가계획을 작성하였습니다. [그림 7]과 같은 지도계획을 초학문적 주제에 따라 6개 모아 놓은 것이 연간지도계획이 됩니다. 추가로 다른 계획은 더 필요가 없었습니다. 평가해야 할 성취기준은 '평가'라고 표시하고, 평가 방법과 시기를 기록하였습니다.

'지구와 동물' 단원은 2학기 첫 번째 단원이었습니다. 과학 교과의 지구와 달, 동물의 한살이, 동물의 서식지, 그리고 국어 교과의 중심 문장과 뒷받침 문장, 도덕 교과의 생명 존중과 같은 성취기준과 단원들을 믹서기에 넣고 갈아서 96차시짜리 '지구와 동물'이라는 이름의 주스를 만든 것입니다. 단원 제목도 처음에는 '지구와 동물'이 아니었습니다. 아이들과 이야기하면서 단원 제목이 '지구와 동물'로 바뀌게 되었습니다. 과학과 성취기준을 보면 알겠지만 1학기의 성취기준과 2학기의 성취기준이 섞여 있습니다. 내용적인 부분은 과학에서, 가치 태도적인 부분은 도덕에서, 기능적인 측면은 국어에서 가져왔습니다. 특히 과정 지식은 국어의 중심 문장과 뒷받침 문장 갖춰 문단을 쓰는 것이 핵심입니다.

시기 교과			1주 8.23.~8.27.	2주 8.29.~9.3.	3주 9.5~9.10.	4주 9.12~9.17.	5주 9.19~9.24.	6주 9.26.~10.1.	7주 10.3.~10.8.	10.
POI 범교과		초학문적 주제	지구 공유하기							
		단원명	지구와 동물							
	관련 교과와 성취 기준	과학 (48차시)	[4과10-01] 동물의 암수에 따른 특징을 동물별로 비교해 보고, 번식 과정에서 암수의 역할이 다양함을 설명할 수 있다. [4과10-02] 동물의 한살이 관찰 계획을 세우고, 동물을 기르면서 한살이를 관찰하며, 관찰한 내용을 글과 그림으로 표현할 수 있다. (포트폴리오/10월) [4과10-03] 여러 가지 동물의 한살이 과정을 조사하여 동물에 따라 한살이의 유형이 다양함을 설명할 수 있다. [4과16-03] 지구 주위를 둘러싸고 있는 공기의 역할을 예를 들어 설명할 수 있다. [4과16-04] 달을 조사하여 모양, 표면, 환경을 이해하고 지구와 달을 비교할 수 있다. (지필/9월) [4과16-02] 육지와 비교하여 바다의 특징을 설명할 수 있다. [4과16-01] 지구와 관련된 자료를 조사하여 모양과 표면의 모습을 설명할 수 있다. [4과04-01] 여러 장소의 흙을 관찰하여 비교할 수 있다. [4과04-02] 흙의 생성 과정을 모형을 통해 설명할 수 있다. [4과04-03] 강과 바닷가 주변 지형의 특징을 흐르는 물과 바닷물의 작용과 관련지을 수 있다. [4과03-01] 여러 가지 동물을 관찰하여 특징에 따라 동물을 분류할 수 있다.(모둠별 실기 / 9월) [4과03-02] 동물의 생김새나 생활 방식이 환경과 관련되어 있음을 설명할 수 있다. [4과03-03] 동물의 특징을 모방하여 생활 속에서 활용하고 있는 사례를 발표할 수 있다.							
		도덕 (16차시)	[4도04-01] 생명의 소중함을 이해하고 인간 생명과 환경 문제에 관심을 가지며 인간 생명과 자연을 보호하려는 태도를 가진다. (관찰 및 자기평가 /10월) [4도01-02] 시간과 물건의 소중함을 알고 자신이 시간과 물건을 아껴 쓰고 있는지 반성해 보며 그 모범 사례를 따라 습관화 한다.(체크리스트 / 10월) [4도01-03] 최선을 다하는 삶을 위해 정성과 인내가 필요한 이유를 탐구하고 생활 계획을 세워 본다.							
		국어 (32차시)	[4국01-03] 원인과 결과의 관계를 고려하며 듣고 말한다. [4국02-01] 문단과 글의 중심생각을 파악한다. [4국03-01] 중심문장과 뒷받침 문장을 갖추어 문단을 쓴다. (저필/10월) [4국02-02] 글의 유형을 고려하여 대강의 내용을 간추린다.							
		POI 총 운영 시수 (96차시)								

〈연간지도계획 중 일부〉

이렇게 짜인 연간지도계획을 보면 어떤 재료를 넣어서 주스를 만들 것인지 한눈에 보기 좋게 제시해 놓은 것이나 다름없습니다. 실제로 믹서기에 갈아서 나온 모습은 [그림 8]의 단원 계획서의 상단 개요 부분입니다.

초학문적 주제	지구 공유하기		
단원명	지구와 동물		
운영 시기	8월,4주~10월,3주 (8주)		
🔆 중심 아이디어	생명이 탄생하고 성장하기 위해서는 적합한 환경이 필요하다.		
🔵 핵심 개념	변화, 형태, 책임	🔵 관련 개념	생명(동물, 인간), 환경(온도, 서식지, 먹이), 탄생, 성장
🟡 학습자상	사고하는 사람, 지식이 풍부한 사람, 원칙을 지키는 사람	🔵 학습 접근 방법	- 사고기능:(비)판적 사고: 다양한 동물의 한 살이, 지구와 달, 서식지들을 비교한 후 각각에 대해 결론을 도출하고 근거를 제시하기 위한 비판적 사고를 개발한다. - 조사기능(암묵적) - 자기관리기능(암묵적)
🔵 행동	환경 캠페인 (서명 운동)		
🔵 탐구목록	1. 동물의 한살이 알아보기 2-1. 지구와 달 비교하기 2-2. 서식지별 동물의 특징 조사하기 3. 생명이 살아가는 환경 지키기		

〈 '지구와 동물' 단원 계획서 상단 개요〉

　8월, 유일한 3학년 동학년 선생님과 함께 이번 단원을 같이 계획하면서 우리의 방학을 갈아 넣었습니다. 정말 많은 이야기가 오고 갔고 그때마다 계획은 또 달라지고 달라졌던 것 같습니다. [그림 8]은 단원을 마치면서 최종적으로 정리된 단원 계획서의 상단 모습이고 처음 계획은 아쉽게도 처음 문서가 계속 수정되어 남아 있지 않습니다. 일종의 만들어가는 교육과정이었습니다. 8월에 교사가 미리 생각해 놓지만 아이들과 함께하면서 바뀌었습니다.

· **단원명**: 단원 이름 즉, 우리가 만든 주스의 이름은 처음에 '지구와 동물'이 아니었습니다. 그러나 아이들과 단원 계획을 세우면서 바뀌었습니다.

· **운영 시기**: 운영 시기 역시 [그림 7]의 연간계획에서 보는 것처럼 10월 둘째 주에 모두 마무리 지으려고 했지만 결국, 셋째 주까지 늘어지게 되었습니다.

· **중심 아이디어**: 이게 참 생소한 개념인데, 이 긴 단원을 이끌어가는, 말 그대로 중심 아이디어입니다. 단원 전체가 이 중심 아이디어가 정말 맞는 말인지 증명해 가는 과정이라고 할 수도 있겠습니다. 계획 당시 중심 아이디어를 만드는데 특별히 많은 시간이 걸렸지만 결국 아이들과 함께 이야기하면서 바뀌었습니다.

· **핵심 개념**: 과학, 국어, 도덕의 주요성취기준을 분석하면서 이번 단원의 핵심 개념을 **변화**, **형태**, 그리고 **책임**으로 정했습니다.

· **관련 개념**: 관련 개념은 이 단원에서 꼭 다루어야 할 하위 개념으로, 이 관련 개념을 통해서 중심 아이디어를 만들기도 합니다.

· **학습자상**: 앞에서 언급한 10가지 학습자상 중에 이번 단원을 통해서 신장시킬 수 있는 학습자상, 혹은 이번 단원을 학습하기 위해 꼭 필요한 학습자상을 2~3가지 제시합니다. 특별히 이번 단원에서는 사고하는 사람, 지식이 풍부한 사람, 원칙을 지키는 사람을 선택했습니다.

· **학습접근방법(ATL)**: 특별히 **사고기능(비판적 사고)**을 강조하여 주장에 대한 근거를 제시하는 기능을 명시적으로 가르치고자 했습니다. 다양한 동물의 한살이, 지구와 달, 다양한 서식지를 비교한 후

각각에 대해 결론을 도출하고 그 근거를 제시하는 '과정 지식'을 익히도록 하는 데 중점을 두었습니다. IB에서는 내용 지식만큼이나 ATL 즉, 과정 지식을 중요하게 생각합니다. 그 외에 **조사기능**은 명시적으로 가르치기보다 동물의 한살이를 조사하고, 다양한 서식지를 조사하면서 암묵적으로 익히도록 구성하였고, **자기관리기능** 즉, 자기 주도성을 신장시키는 부분은 관찰일지 작성과 학습 전체에서 학생들이 스스로 선택하고 결정하게 함으로써 암묵적으로 접근하도록 계획하였습니다.

· **행동**: 결과적으로 이 단원을 공부하고 나서 학생들이 취할 행동을 제시한 것인데, 우리 아이들이 시내로 나가서 어른들에게 캠페인 활동을 하기로 했습니다.

· **탐구 목록**: 일종의 탐구 순서, 탐구의 흐름이라고 생각하면 되겠습니다. 탐구과정에서도 계획했던 내용이 늘어지기도 하고 삭제되기도 합니다.

단원 계획서의 양식은 굉장히 다양합니다. 저희 학교는 익숙한 한글 문서의 표 형식으로 만들었지만, 그림 형태, 마인드맵 형태, 문서 파일이 아니라 웹사이트에 직접 입력하는 형태 등 다양합니다. 꼭 필요한 내용만 들어간다면 어떤 양식이든 상관없습니다.

그럼 이제 실제로 '지구와 동물' 탐구 단원이 어떻게 구현되고, 또 그 속에서 IB PYP는 학생들의 자기 주도성을 어떻게 신장시키고 있는지 살펴보겠습니다.

Ⅲ. 스스로 결정하는 아이들

저희 학교는 IB 수업을 하면서 '탐구 시작하기 - 발견하기 - 설명하기 - 행동하기 - 더 나아가기 - 성찰하기'라는 개념기반 탐구학습의 한 모형을 사용했습니다. IB 수업에 개념기반 탐구학습이 가장 적절하다고 하지만, IB 수업이라고 해서 꼭 모두 다 개념기반 탐구학습을 해야 하는 것도 아니고, 개념기반 탐구학습이라고 해서 모두 IB 수업인 것은 더더욱 아닙니다. 또한 개념기반 탐구학습의 모형이나 절차 역시 한 가지만 있는 것이 아니고 다양한 방식이 있습니다. 제주 표선초등학교에서는 학교 자체적으로 관심갖기 - 알아가기 - 적용하기 - 실행하기의 4AI[6] 라는 수업모형을 만들어 적용하고 있었습니다. 그러니 꼭 이러한 절차에 구속될 필요는 없습니다. '탐구 - 행동 - 성찰'이라는 IB 탐구 사이클만 이해하고 있으면 다양한 절차를 유연하게 적용할 수 있다고 봅니다.

---

6) 「개념 기반 탐구학습 적용을 통한 핵심역량 함양」, 표선초등학교 2023.

1. 탐구 시작하기

탐구단계	학습 경험 설계하기	학습자료 평가
탐구 시작하기	1. 나의 성장기 – 선생님의 성장기 – 나의 성장기 사진 보며 이야기하기 – 성장하는데 무엇이 필요할까? 2. 어떤 동물의 성장기 – 완전 탈바꿈 성장 – 불완전 탈바꿈 성장 – 곤충이 아닌 깃 싱장 – 각종 동물들이 성장하는데 어떤 것들이 필요했을까? 3. 관련 개념 찾기 – 생명(동물, 인간), 환경(먹을 것, 서식지, 온도, 습도), 탄생, 성장 4. 중심 아이디어 만들기 5. 핵심 개념 정하기 6. 탐구 질문 만들기 7. 탐구 방법 정하기	영상자료 (장수풍뎅이, 잠자리, 개구리)

이번 단원도 일반적으로 개념기반 탐구학습에 기초하려고 했습니다. 그래서 개념기반 탐구학습의 기본적인 흐름을 따라 학습을 진

행했습니다. 그중 '탐구 시작하기' 단계는 이번 대단원에 대한 동기 유발이라고 볼 수 있습니다. 이번 대단원을 우리가 어떻게 만들어 나갈지 함께 정하는 과정이라고 보면 됩니다.

이를 위해 먼저 학생들에게 선생님들의 어린 시절 사진부터 성장의 과정을 제시하였습니다. 그 후에 학생들의 탄생과 성장 과정이 담긴 사진을 가지고 와서 서로 이야기하는 시간을 가졌습니다. 이를 통해 아이들은 자연스럽게 탄생과 성장이 이번 단원의 관련 개념임을 인지하게 됩니다. 또한 인간과 비교하여 다양한 다른 동물의 한살이를 간략하게 보여줌으로써 동물이 탄생하고 성장하는 데 무엇이 필요한지 생각해 보게 됩니다.

〈관련 개념 찾기〉

• **관련 개념 찾기**: 약 4~5시간 정도 걸리는 이러한 동기 유발을 활동을 통하여 아이들은 탄생, 성장, 환경, 생명 등과 같은 관련 개념을 뽑아냅니다. 학생들이 적절한 관련 개념을 찾을 수 있도록 유도하지만 결정은 학생들이 합니다. 때로는 전혀 생각지 못한 관련

개념이 나오기도 하는데 오히려 그게 더 단원에 적절한 경우도 많았습니다.

〈중심 아이디어 만들기〉

• **중심 아이디어 만들기**: 이어서 아이들은 그 관련 개념이 적절히 들어가도록 하여 이 단원을 이끌어갈 중심 아이디어를 한 문장으로 만듭니다. 먼저는 자기 스스로 만들어보고, 다음으로 모둠 친구들끼리 모여서 함께 중심 아이디어를 만듭니다. 그러고 나서 각 모둠의 문장을 모아 우리 반이 두 달 동안 탐구할 중심 아이디어를 함께 결정합니다. 그렇게 해서 탄생한 중심 아이디어가 "생명이 탄생하고 성장하기 위해서는 적절한 환경이 필요하다."입니다. 사실 탐구에 적절한 중심 아이디어는 아닌 듯하지만 아이들의 결정을 최대한 존중했습니다. 각 모둠의 문장을 적절히 조합하는 데에는 교사의 노력이 필요하지만 아이들이 스스로 했다는 생각을 하도록 하는 게 중요했습니다. 그래서 1반과 2반의 중심 아이디어가 비슷하면서 조금씩 다릅니다. 이후 본격적인 탐구과정은 스스로 정한 이 중심 아이디어가 정말 그러한지 탐구해 나가는 과정이 됩니다.

• **핵심 개념 찾기**: 이어서 아이들은 중심 아이디어를 어떤 렌즈로 바라보고, 탐구할 때 어떤 열쇠를 이용할지 결정합니다. 즉, 핵심 개념을 무엇으로 할지 결정합니다. 이 작업이 중요한 이유는 똑같은 '생명'도 이것을 변화의 렌즈로 바라볼지, 기능의 렌즈로 바라볼지, 책임의 렌즈로 바라볼지에 따라 탐구의 방향이 달라지기 때문입니다.

〈핵심 개념 찾기〉

때로는 학생들이 중심 아이디어를 만들기 전에 핵심 개념을 먼저 제시하기도 했었습니다. 하지만 이번에는 아이들이 핵심 개념도 직접 정하도록 해보았습니다. 이럴 때면 늘 '교사들이 정해놓은 핵심 개념과 아이들이 정한 핵심 개념이 다르면 어쩌지?' 하고 걱정하게 됩니다. 그럼에도 불구하고 아이들의 결정을 믿고 맡길 때 교사가 미리 계획한 것보다 오히려 더 좋은 결과를 얻게 되는 것을 볼 수 있습니다.

〈탐구 질문 만들기〉

• **탐구 질문 만들기:** 여기서 끝이 아닙니다. 아이들은 자신들이 만든 중심 아이디어를 탐구하기 위한 탐구 질문을 만듭니다. 모둠별로 포스트잇을 나눠주고 무엇이든지 생각나는 대로 마구 질문을 쏟아 내도록 안내합니다. 아이들은 정말 엉뚱하고도 기발한 질문들을 쏟아 냅니다. 가끔은 너무 주제와 관련이 없는 질문이어서 바꾸라고 말하고 싶지만, 그 말을 입 밖에 꺼내는 순간 수많은 아이들이 "농부님 그러면 이건 돼요?", "농부님 그럼 이건 안돼요?"(아이들은 저를 '농부님'이라고 부릅니다.) 하는 질문을 쏟아 내며 자기 검열에 들어갈 것이 분명했습니다. 그래서 이 시간만큼은 뭐든지 좋다고 하고 기다립니다. 결국, 이상한 질문은 걸러지기 때문입니다. 그렇게 한참 질문을 쏟아 내면 포스트잇이 모자랄 정도로 질문이 많이 쏟아져 나옵니다.

그 후에 1차로 중복되는 질문을 모둠 친구들이 스스로 걸러내도록 합니다. 그리고 2차로 중심 아이디어와 상관없다고 생각되는 질문 역시 모둠에서 스스로 걸러냅니다. 그리고 3차로 남아 있는 질문 중에서 각 모둠에서 가장 중요한 핵심질문이라고 생각하는 질문을 5개씩 뽑아내게 됩니다. 그러면 마지막으로 교사는 각 모둠에서 나온 핵심질문(5개씩 6개 모둠 총 30여 개의 질문)들을 모아서 서로 유목화하거나 삭제하여 최종적으로 우리가 함께 탐구할 질문을 추려냅니다. 그렇게 해서 나온 질문이 아래와 같습니다.

· 동물은 뭐고, 성장 과정은 어떻게 될까?
· 지구는 어떤 환경이야?
· 지구의 강, 바다, 사막, 하늘, 늪, 빙하, 초원, 등에는 어떤 동물이 살까?
· 동물은 왜 사라질까?
· 환경(서식지, 공기, 물, 먹이 등)이 사라지면 생명은 어떻게 될까?

　질문을 만들 때의 팁으로 4명의 질문 마법사를 사용하라고 이야기했습니다. '왜? 어떻게? 뭐야? 만약~하면?'이 그것입니다. 이 질문 마법사를 이용하면 어떤 질문이든 만들 수 있다고 저학년에 맞게 지도했습니다. 물론 아이들은 처음에 '동물은 왜야?'처럼 이상한 질문을 만듭니다. 하지만 그런 질문들은 위에서처럼 차근차근 걸러지게 되고, 어떤 질문이 좋은 질문인지 이 과정을 통해 배우게 됩니다.

〈탐구 방법 정하기〉

• **탐구 방법 정하기:** 질문만 던지고 그 질문을 어떻게 해결할지 그 방법을 정하지 않는다면 진짜 주도권을 아이들에게 넘긴 게 아니라고 생각합니다. 우리 반에서 결정한 5가시 핵심질문을 다섯 모둠에게 하나씩 나눠주고 그 질문을 해결하기 위해서는 어떤 방법을 사용하면 좋을지 모둠 친구들끼리 의논하고 허니콤 보드에 적도록 했습니다. 아이들이 동물원 가기, 동물 키우기만 적어서 낼 줄 알았는데, 질문에 따라 책이나 인터넷 찾아보기, 실험하기, 인터뷰하기 등의 방법도 제시해서 인상적이었습니다.

이렇게 '탐구 시작하기' 단계에서만 며칠이 걸립니다. 그럼에도 불구하고 이 단계에서 아이들이 모든 것을 결정하고 참여하게 하는 이유는 그래야만 탐구의 주도권이 아이들에게 넘어가기 때문입니다. 이렇게 함께 설계한 단원을 탐구하면서 아이들 입에서 "이거 왜 해요?", "안 하면 안 돼요?" 하는 이야기는 거의 들을 수 없었습니다.

2. 탐구 목록(LOI, Line of Inquiry) 1 _ 동물의 한살이 알아보기

변화	학습 경험 설계하기	학습자료 평가
발견하기 1	1. 동물 기르기 사전 준비하기 - 동물이 뭘까? 곤충이 뭘까? 개념 알아보기 - 어떤 동물을 키우면 탄생과 성장을 관찰할 수 있을까? (곤충/곤충 아닌 것) - 동물의 탄생을 위해 필요한 조건 - 암탉의 역할 알아보기(온도, 습도 등) - 동물 키우기 역할 분담하기 2. 동물의 암수 역할 차이 알아보기 - 암탉 말고 다른 동물들은 어떨까? - 암수의 생김새 차이, 새끼를 양육하는 암수의 역할 알아보기 [4과10-01] 동물의 암수에 따른 특징을 동물별로… 3. 동물의 한살이 알아보기 - 관찰 일지를 바탕으로 곤충의 한살이 알아보기 - 완전 탈바꿈, 불완전 탈바꿈 개념 알아보기 - 곤충이 아닌 것의 한살이 알아보기(병아리 외에 다양한 동물의 예시 영상 보기) [4과 10-02] 동물의 한살이 관찰 계획을 세우고… [4과 10-03] 여러 가지 동물의 한살이 과정을 조사…	수행평가
설명하기 1	4. ATL 명시적으로 가르치기 - 일반화하기 - 중심 문장 뒷받침 문장 갖춰서 글 쓰는 법 배우기 - 중심 생각: 동물의 한살이는 종류별로 다양하다. - 중심 문장, 뒷받침 문장 갖추어 글쓰기	

개념기반 탐구학습의 단계도 여러 가지가 있고, 꼭 그 단계를 순서대로 밟을 필요도 없지만, 이번 단원에서는 탐구 시작하기에 이어 실제로 탐구를 통해서 사실들을 발견해 나가는 발견하기 단계를 밟았습니다.

직접 동물을 키우기 위한 준비를 하고 실제 동물을 키워 보며, 동물의 한살이에 대해 발견하고, 암수의 차이에 대해서도 조사하고, 완전 탈바꿈, 불완전 탈바꿈에 대해서도 알아보는 시간을 가졌습니다.

그중에서도 동물을 직접 교실에서 키우는 활동은 교사와 학생들 모두에게 깊은 인상을 남겼습니다. 탄생과 성장을 관찰할 수 있는 동물로 병아리를 정했고, 아이들과 직접 병아리 구해서 부화기에 넣고 부화시키는 과정을 함께 했습니다.

〈병아리 부화 및 병아리 무덤〉

그러나 안타깝게도 첫 번째 알들이 습도 조절 실패로 부화에 실패하게 됩니다. 아이들과 함께 태어나지도 못하고 죽은 병아리들에 대한 장례식을 성대하게 치렀습니다. 시키지 않았는데도 아이들이 십자가를 만들고 편지를 써서 무덤에 꽂아 놓았습니다. 이후에 다시 부화에 도전할지 안 할지 역시 아이들이 결정했습니다. 우리는 재도전하기로 했고 어렵게 다시 유정란을 구해서 부화의 과정을 다시 밟습니다. 관찰 기록장만 두 번을 작성했습니다.

〈병아리 키우기〉

동물의 한살이, 서식지, 지구와 달의 환경과 같이 1학기와 2학기를 넘나드는 내용을 발견하기 위해서는 각종 인터넷 자료와 신문

기사, 그리고 양질의 도서를 활용했습니다. 정보의 바다에서 교사의 가이드가 매우 중요한 역할이라는 생각이 듭니다. 특히 3학년 아이들에게는 키워드를 주고 직접 검색하도록 하기보다 교사가 미리 검색해서 학습지에 QR코드를 넣고 학생들이 찾아보는 방식으로 접근했습니다. 영상을 찾아보고 내용을 파악해서 정리하는 것만으로도 3학년 아이들에게는 쉽지 않은 작업이었습니다.

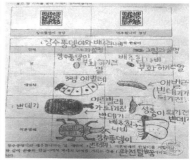

〈자료 조사하는 장면〉

이렇게 발견하기 단계를 거치고 나면 발견한 내용을 표현하는 설명하기 단계를 각 탐구 목록(LOI)별로 갖도록 구성했습니다. 이를 위해 학습접근방법(ATL) 중 사고기능(비판적 사고)을 명시적으로 가르쳤습니다. 3학년 국어과에서는 중심 문장과 뒷받침 문장을 찾고, 쓰는 활동이 중요합니다. 이 부분을 교과서를 통해 명시적으로 가르치고 이번 활동에서 발견한 내용을 바탕으로 중심 문장과 뒷받침 문장을 갖춘 글을 쓰도록 해보았습니다. LOI 1에서는 학생들이 어려워할 것을 예상해서 가이드를 제공했습니다.

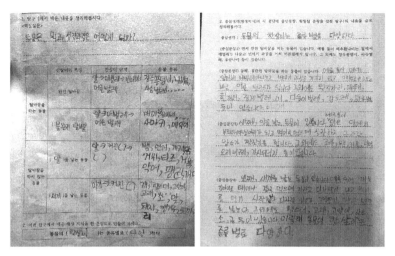

〈일반화1 - 설명하기 단계에서 작성한 글〉

LOI 1은 '변화'라는 핵심 개념의 렌즈로 "동물은 뭐고, 성장 과정은 어떻게 될까?"라는 질문에 답을 찾아가는 과정이었습니다. 3학년의 단계에 맞춰 성장 과정에 초점을 맞췄습니다. 설명하기 단계에서 학생들이 발견한 내용을 바탕으로 짧든 길든 중심 문장과 뒷받침 문장을 갖춰 글을 쓰는 모습이 뿌듯했습니다.

3. 탐구 목록(LOI) 2-1 _ 지구와 달 비교하기

형태	학습 경험 설계하기	학습자료 평가
발견하기 2-1	1. 동기 유발 - 지구에서는 이렇게 다양한 생명체들이 살고 있는데 다른 곳에서도 그럴까? 2. 지구와 달의 형태 관찰하기 - 태블릿을 활용하여 지구와 달의 모습 관찰하고 보이는 것 찾기 - 알게 된 점 정리하기 - 지구와 달의 공통점과 차이점 찾기 [4과16-01] 지구와 관련된 자료를 조사하여 모양과 표면의 모습을 설명할 수 있다. 3. 왜 지구에는 생명체가 살고 달에는 살지 않을까? - 생명체가 살기 위한 조건 알아보기(물, 산소 등) 4. 지구에서 생존에 필요한 물과 흙은 어디에 있을까? - 육지와 바다 비교하기 - 여러 장소의 흙 비교하기 - 흙은 어떻게 만들어질까? - 흐르는 물이 땅의 모습을 어떻게 바꿀까? - 강물과 바닷물의 차이, 강과 바다 주변 지형의 특징은? [4과16-02] 육지와 비교하여 바다의 특징을… [4과04-01] 여러 장소의 흙을 관찰하여 비교할… [4과04-02] 흙의 생성 과정을 모형을 통해… [4과04-03] 강과 바닷가 주변 지형의 특징을…	구글 어스

	5. 지구를 둘러싸고 있는 공기는 어떤 역할을 할까? [4과16-03] 지구 주위를 둘러싸고 있는… 6. 지구와 달의 특징 정리하기 - 지구와 달을 비교하여 생물이 살 수 있는 지구의 특징 글쓰기 [4과16-04] 달을 조사하여 모양, 표면, 환경을…	수행평가
설명하기 2-1	7. 일반화하기 - 중심 생각: 지구는 생명이 탄생하고 성장하기에 적합한 환경이다. - 중심 문장, 뒷받침 문장 갖추어 글쓰기	

탐구 목록 2-1은 '형태'라는 핵심 개념의 렌즈로 '지구는 어떤 환경이야?'라는 학생들의 탐구 질문에 답을 찾아가는 과정이라고 볼 수 있습니다. '탐구하는 사람'이라는 학습자상을 추구합니다.

학생들이 정한 탐구 방법대로 다양한 실험을 진행했습니다. 교과서에 나온 실험뿐만 아니라 아이들이 가설을 설정하고 그걸 실험으로 구성해서 실행해보기도 했습니다. 그러다 보니 특정 기간에 과학실을 집중적으로 사용해야 해서 다른 학년에 양해를 구하고 실험을 진행해야 했습니다.

〈다양한 실험을 하는 아이들〉

그뿐 아니라 구글 어스 등 인터넷 자료 조사를 통해 지구와 달을 비교하기도 했습니다. 아이들이 직접 자료를 조사해야 하는 경우가 많아서 1인 1태블릿을 제공하고자 했습니다.

탐구 1과 마찬가지로 탐구 2-1에서도 탐구한 내용을 바탕으로 설명하기 2-1에서 주장하는 글로 표현하도록 했습니다. 사실 설명하기 단계에서 배운 내용을 표현하는 방법은 꿍장히 다양합니다. 그래서 그 방법을 아이들이 선택하도록 하는 단원도 많이 있지만, 이번 단원에서는 의도적으로 매번 중심 문장과 뒷받침 문장으로 배운 내용을 표현하도록 했습니다. 아마 이런 부분을 힘들어하는 아이들도 있었을 것입니다.

1. 중심생각(핵심지식)과 각 문단에 중심문장, 뒷받침 문장을 갖춰 담구2의 내용을 글로 정리해봅시다.

중심생각 : (지구)는 생명이 탄생하고 성장하기에 적합한 (환경)입니다. 왜냐하면

(중심문장1) 첫째, 지구에는 물이 있기 때문입니다. 물은 지구의 70%를 차지합니다. 지구의 동식물들은 모두 물을 먹고 마시며 삽니다. 물은 침식, 운반, 퇴적 작용으로 강의 모양도 바꾸고 바다 지형도 바꿉니다. 물 속에 사는 생명체도 많습니다.

(중심문장2) 둘째, 지구에는 흙이 있기 때문입니다. 지구의 흙은 다른행성의 흙보다 영양분이 많습니다. 달의 흙은 식물에게 스트레스를 주지만, 지구의 흙은 스트레스을 주지 않습니다. 그리고 건강 메슴딤

(중심문장3) 셋째, 지구에는 공기가 있기 때문입니다. 공기는 지구의 환경에 큰 영향을 미칩니다. 공기가 바람을 만들며, 소리고 공기가 전달하는 것이기 때문입니다. 만약 공기가 살아진다 우리는 숨을 식신못해 죽을것이고, 소리, 물도 없어질 것입니다. 따라서 지구는 생명이 탄생하고 성장하기에 적합한 환경 입니다.

중심생각 : (지구)는 생명이 탄생하고 성장하기에 적합한 (환경)입니다. 왜냐하면

(중심문장1) 첫째, 지구에는 물이 있기 때문입니다. 물은 지구의 70%를 차지합니다. 지구의 동식물들은 모두 물을 먹고 마시며 삽니다. 물은 침식, 운반, 퇴적 작용으로 강의 모양도 바꾸고 바다 지형도 바꿉니다. 물 속에 사는 생명체도 많습니다.

(중심문장2) 둘째, 지구에는 흙이 있기 때문입니다. 지구에 흙은 영양분이 많습니다. 그래서 식물이 자라 우리가 맑은 공기를 마실수 있게 도와줍니다. 또, 흙에는 동물이 많이 살고 있습니다. 메뚜기 지렁이와 개미 등이 살고 있습니다.

(중심문장3) 셋째, 지구에는 공기가 있기 때문입니다. 공기는 생명이 숨을 쉴수 있게 해주고, 지구를 덮고 있는 공기막이 자외선과 우주먼지를 걸러줍니다. 그래서 우리는 안전하게 살수 있는 것입니다. 예렇기 때문에 지구는 생명이 탄생하고 성장하는 데 적합한 환경입니다.

〈일반화2 - 주장하는 글쓰기〉

4. 탐구 목록(LOI) 2-2 _ 서식지별 동물의 특징 조사하기

형태	학습 경험 설계하기	학습자료 평가
발견하기 2-2	1. 동물 분류하기 - 다양한 기준으로 동물 분류하기 - 서식지에 따라 동물 분류하기(땅/사막/물/하늘/빙하 등) - 각 서식지에 사는 동물의 생김새 및 생활방식 조사하기(모둠별) - 공통점 찾기 - 모둠별 조사한 내용과 결론 발표하기(모둠 신문) [4과03-02] 동물의 생김새나 생활방식이 환경과 관련되어 있음을 설명할 수 있다. [4과03-01] 여러 가지 동물을 관찰하여 특징에 따라 동물을 분류할 수 있다. 2. 현장체험학습 : 동물원(화조원)	동물카드 수행평가
설명하기 2-2	3. 일반화하기 - 중심 생각: 지구는 생명이 탄생하고 성장하기에 적합한 환경이다. - 중심 문장, 뒷받침 문장 갖추어 글쓰기	

　　굳이 탐구 2를 2-1, 2-2로 나눈 이유는 핵심 개념은 같지만, 탐구 질문이 달랐기 때문입니다. 탐구 2-1의 탐구 질문은 '지구는 어떤 환경이야?'인데 2-2의 탐구 질문은 '지구의 강, 바다, 사막, 하늘, 늪, 빙하, 초원, 등에는 어떤 동물이 살까?' 입니다.

　　앞에서와 마찬가지로 인터넷으로 자료를 찾아보기도 하고, 신문

기사와 단행본 도서의 내용을 정리해서 모둠 신문을 만들고 발표하는 작업도 병행하며 아이들이 정한 탐구 방법대로 발견하기 단계를 진행했습니다.

또한 현장학습을 통해 직접 다양한 동물들을 만나보는 시간도 가졌습니다. 코로나 키즈였던 아이들은 아마 이 시간이 가장 행복한 시간이었던 것 같습니다.

〈탐구하는 학생들〉

각 탐구 목록 LOI(Line of Inquiry)마다 설명하기 단계를 반복해서 넣어서 중심 생각과 뒷받침 문장이 있는 글로 표현하도록 했습니다.

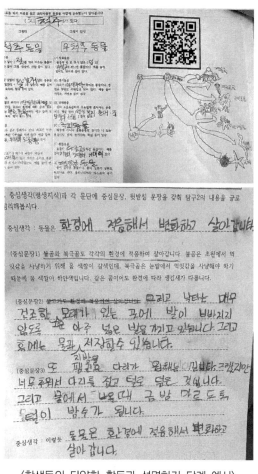

〈학생들의 다양한 활동과 설명하기 단계 예시〉

이렇게 자신의 주장에 근거를 제시하는 방법을 명시적으로 익히
는 시간을 가져서 ATL(학습접근방법)을 익히게 하고, 다시 학습에
적용함으로써 학습을 위한 기능(ATL)을 반복적으로 익히도록 했습
니다.

5. 탐구 목록(LOI) 3 _ 생명이 살아가는 환경 지키기

책임	학습 경험 설계하기	학습자료 평가
발견하기 3	1. 동기 유발: 시뮬레이션 – 학생들이 교실을 잃고 돌아다니면서 수업을 할 수밖에 없는 불편한 상황 체험하기 – 같은 상황에 처한 친구의 이야기를 듣고 누구의 이야기인지 예상하기 – 서식지를 빼앗긴 동물의 상황에 공감하기 2. '사라지는 동물의 역사'를 읽고 중심 생각 파악하기 [4국02-01] 문단과 글의 중심 생각을 파악한다. 3. 동물은 왜 사라질까? – 동물이 인간에게 영향을 준 사례 알아보기 (긍정적 사례, 부정적 사례 등) [4국01-03] 원인과 결과를 고려하며 듣고 말한다. – 사례를 통해 알게 된 것 정리하기 [4국02-02] 글의 유형을 고려하여 대강의 내용을 간추린다. 4. 내 생활 태도 돌아보기: 환경운동가 특강 – 우리가 사용하는 물건이 환경(서식지)에 미치는 영향 알아보기 – 물건을 아껴 써야 하는 이유를 알고 아껴 쓰기 위한 실천 다짐 세우기 [4도01-2] 시간과 물건의 소중함을 알고 자신의… 5. 우리가 동물과의 공존을 위해 할 수 있는 일 떠올리기: 캠페인, 플로깅, 서명운동…	도서: 사라지는 동물의 역사 환경운동가 수행평가

책임	학습 경험 설계하기	학습자료 평가
설명하기 3	6. 환경을 위해 우리가 노력해야 할 책임이 있다는 의견을 담아 주장하는 글쓰기 [4국03-01] 중심 문장과 뒷받침 문장을 갖춰 문단을 쓴다.	수행평가

　탐구가 한 달을 넘기면서 뭔가 새로운 동기 유발이 필요했습니다. 그런데 먼저 '지구 공유하기' 초학문적 주제를 학습했던 표선초등학교 3학년 선생님들이 너무나 좋은 아이디어를 제공해주셨습니다. 서식지를 잃은 동물들의 마음을 체험해 보기 위해 학생들이 교실을 잃는 체험을 하는 것입니다. 미리 스포츠 강사 선생님, 보건 선생님과 입을 맞추고 수학 시간에 갑자기 교실에 전기 점검을 해야 하니 다 나가야 한다는 통보가 옵니다. 아이들은 어쩔 수 없이 갈 곳이 없으니 옆 반으로 갑니다. 옆 반 아이들 틈에서 불편하게 수학 문제를 풀며 설움을 받습니다. 이번에는 옆 반에도 전기 점검을 해야 하니 교실을 비워달라고 해서 옆 반 아이들이 우리 반에 와서 설움을 받습니다. 그러더니 이번에는 보건 선생님께서 올라오셔서 교실 긴급방역을 해야 하니 모두 나가라고 합니다. 영문도 모르고 아이들은 교실에서 쫓겨나서 복도에서 수학 문제를 풉니다. 심지어 그날 수업이 컴퍼스로 원을 그리는 수업입니다. 게다가 복도를 막으면 안 된다고 해서 결국 건물 밖으로 쫓겨나게 됩니다. 그러고 나서 서식지를 잃은 동물 이야기를 들려주자 아이들이 너무나 공감하였습니다.

〈시뮬레이션: 교실을 잃은 학생들〉

그렇게 시작된 탐구 목록 3은 '동물이 왜 사라질까?'라는 탐구 질문에 답을 찾아갑니다. 표선초등학교 선생님들께 『사라지는 동물의 역사』라는 좋은 책을 소개받아서 아이들의 학습에 큰 도움이 되었습니다. 그리고 아이들이 정한 탐구 방법대로 환경운동가를 초청해서 이야기를 듣는 시간도 마련했습니다.

〈책에서 중심 생각 찾기, 환경운동가 특강〉

이제 배운 내용을 바탕으로 실천적인 행동을 하기 위한 준비에도 들어갔습니다. 아이들이 배운 내용을 바탕으로 실천할 수 있는 일들을 스스로 찾아봅니다. 그리고 그 일들을 실천할 준비를 했습니다. 특히 도덕과에서 흔히 하는 실천기록장을 만들고 어떤 내용을 일주일 동안 실천해야 하는지 함께 이야기하였습니다.

마지막 설명하기 단계에서는 이제까지 배운 내용을 종합해서 우리의 선택이 어떤 영향을 미치는지에 대해 근거를 들어 주장하는 글쓰기를 하였습니다.

이 세 번에 걸친 설명하기 단계는 사실 각각의 탐구에 결과를 '일반화'하는 과정입니다. 탐구하고 그 결과를 일반화하는 문장을 만들고, 그 근거를 제시하는 과정을 세 번에 걸쳐 진행했다고 보시는 게 맞습니다.

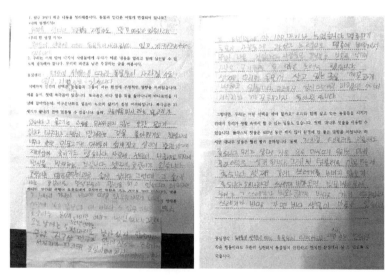

〈일반화3 - 주장하는 글쓰기〉

6. 행동하기

책임	학습 경험 설계하기	학습자료 평가
행동하기	1. 모두의 지구 실천 기록지 - 실천할 내용 정하기 - 실천 계획 세우기 - 일주일간 실천하고 성찰하기 2. 바다의 시작 - 환경 정화 활동(플로깅) 계획하기 - 환경 정화 활동(하수구) 실천하기 3. 환경 캠페인 　GRASPS 학부모 참여 수업 0월 0일 3,4,5 교시 - 교실에서 먼저 부모님께 캠페인 활동하기 - 모둠별로 주민들에게 캠페인 활동 벌이기 G(목표): 학교 인근 주민들에게 환경 보호의 중요성을 알리고 서명받기 R(역할): 환경운동가 A(대상): 삼도동 주민 S: 실천 서약서 받기 캠페인 P: 환경 보호의 중요성 고취 S: - 학부모와 시민 10명 이상에게 서명을 받는다. - 환경 보호의 중요성을 알리는 포스터와 피켓을 제작한다. - 환경 보호 이슈에 대해 설명한다. [4도04-01] 생명의 소중함을 이해하고 인간 생명…	환경운동 가 동행 도서: 북극곰을 북극으로 돌려보내 는 방법 영상: 그 레 타 툰베리 수행평가

아이들이 '지구와 동물' 단원을 탐구하면서 환경의 중요성에 대해서 깊이 알게 되었습니다. 그러면서 어떻게 하면 생명이 탄생하고 성장하기에 좋은 환경이 될 수 있을까 고민하게 되었습니다. 아이들은 크게 3가지 실천을 전개했습니다. 첫째는 가정에서 할 수 있는 실천 기록장을 만들고 집에서 실천하는 것이었습니다. 물론 무엇을 실천할지 모두 아이들이 결정합니다.

〈실천 기록장〉

두 번째 실천은 특강을 해주신 환경운동가 선생님과 아이들이 함께 지역에 담배꽁초로 가득한 하수구 정화 활동을 펼쳤습니다. 지역 신문에 실리는 일도 있었는데요. 안타깝게도 아이들이 이렇게까지 했는데 또다시 담배꽁초가 하수구에 쌓였습니다. 평소에 관심이 없던 아이들도 그걸 보고 많이 속상해하는 모습을 볼 수 있었습니다.

〈하수구 정화 활동〉

　세 번째 실천은 아이들이 환경 캠페인을 벌인 것입니다. 사실 캠페인 활동은 단원을 처음 기획할 때부터 하면 좋겠다고 생각하고 있었습니다. 그런데 문제는 교사가 하자고 해서 하는 것은 안 됩니다. 아이들 입에서 "우리 밖에 나가서 사람들에게 캠페인 해요!"라는 말이 먼저 나와야 합니다. 교사는 "그래? 그럼 내가 도와줄까?"가 되어야 한다는 것입니다.

　이를 위해서 그림책 『북극곰을 북극으로 돌려보내는 방법』으로 온 책 읽기를 하였습니다. 그 후에 책 속의 여학생이 실제 살아온 듯한 「그레타 툰베리」의 영상을 통해 확실히 동기 유발을 하였습니다. 그랬더니 아이들 스스로 우리도 나가서 캠페인 하자는 이야기가 저절로 나왔습니다. 단순히 구호만 외치지 말고, 서명을 받자는 의견도 나왔습니다. 더 나아가 사람들이 우리의 이야기를 듣고 서명까지 해 주고 나면 작은 거라도 뭔가 드리면 좋겠다는 이야기가 나왔습니다. 자연스럽게 이미 실천 기록지를 할 때 사용했던 대나무 칫솔을 나눠주자는 의견이 나왔습니다. 아이들이 캠페인 때 나눠 줄 친환경 대나무 칫솔 200개를 준비해 달라고 하니, 저는 준비했습니다. 그 외에도 재활용 캠페인 피켓 등 모두 아이들의 의견을 받아 준비했습니다.

〈캠페인 준비〉

아이들: "선생님, 우리도 수업받을 게 아니라 나가야 해요!"
아이들: "제발 나가서 우리도 캠페인 하게 해주세요~"
농부님: "야~ 너희가 그걸 어떻게 해~ 위험해~"

아이들: "부모님 오시라 해서 하면 돼요!"

농부님: "그런데, 밖에 나가서 그냥 구호만 외치다가 올 거야?"
아이들: "사람들한테 환경 지키겠다는 약속 받고 사인받아요."
농부님: "아, 그럼 너희가 설명도 해야 할 텐데 그걸 어떻게 해~"
아이들: "아, 할 수 있어요. 왜 못하게 해요!"

아이들: "그런데 우리 설명 듣고 사인까지 해주시는데 뭐라도 드리면 안 돼요?"
농부님: "그래? 그럼 뭐가 좋을까?"
아이들: "대나무 칫솔 선물하고 사인받아요! 농부님 칫솔 200개 사오세요! 알았죠?"
농부님: "200개 사 오면 돼?! 알았어!"
아이들: "와~고맙습니다. 농부님!"

제가 미끼를 던지면 아이들이 덥석 물어서 의견을 내고, 제가 아이들의 부탁을 폼 나게 들어주는 포지션을 취하니 너무 편했습니다. 아이들에게 억지로 뭔가를 하자는 선생님이 아니라 아이들 부탁을 잘 들어주는 선생님이 되었으니까요. 과거 다른 학교에서 프로젝트 학습을 할 때, 대부분은 그냥 해야 하니까 또는 시키니까 억지로 하는 모습이어서 아이들을 끌고 가기 힘들었던 기억이 있는데 이번에는 그렇지 않았습니다.

〈캠페인 활동〉

캠페인을 학부모 공개수업과 연계했습니다. 그래서 자연스럽게 학부모님들이 학생들 안전 지킴이가 되도록 사전에 안내를 드렸습니다. 다행히 각 모둠에 한 분 이상 학부모님들이 참여해주셨습니다. 먼저 교내에서 캠페인 활동을 하고, 이후에 시내로 나가서 사람들에게 환경(서식지)을 왜 지켜야 하는지 이를 위해서 우리는 무엇을 해야 하는지 설명하고, 실천 서약서에 사인을 받았습니다. 쉽게 사인을 받는 팀도 있었고 굉장히 힘들어하는 팀도 있었지만 모두에게 의미 있는 시간이었습니다.

7. 더 나아가기 / 성찰하기

	학습 경험 설계하기	학습자료 평가
더 나아가기	1. 생체모방 사례 알아보기 [4과03-03] 동물의 특징을 모방하여 생활 속에서 활용하고 있는 사례를 발표할 수 있다.	수행평가
성찰하기	2. 성찰하기 - 이번 탐구 단원을 통해 나의 어떤 기능이 어떻게 성장했는지 스스로 평가하기 - 이번 탐구 단원을 통해 자신이 어떤 학습자상에 가까워졌는지 스스로 평가하기 - 탐구한 내용 정리하기 - 탐구 단원을 마치면서 드는 생각이나 느낌을 자유롭게 공유하기	

사실 더 나아가기는 아이들이 탐구를 마치면서 좀 더 탐구하고 싶은 내용을 탐구해 나가는 것인데, 우리는 그러지 못했습니다. 이미 처음 계획보다 너무 많은 시간을 써 버렸고, 교육과정상에 꼭 해야 하는 내용을 다뤄줘야만 했습니다. 그래서 3학년 교육과정에 동물들의 생체를 모방해서 오리발이나, 빨판, 비행기 등을 만드는 것에 대해 이야기하고 알아보는 시간으로 넘어갔습니다.

성찰하기 단계에서는 이번 단원을 전체적으로 돌아보며 자기 성찰을 하는 시간을 가졌습니다.

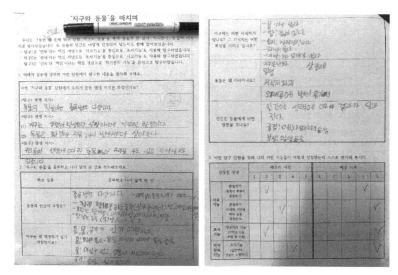

〈성찰 학습지 중 일부〉

성찰하기까지 하고서는 이 성찰 보고서를 학부모에게 보내고 학부모님들의 피드백도 받습니다. 위의 활동 순서는 완벽히 시간순서는 아닙니다. 왜냐하면 실제 병아리를 키우는 시간이 상당히 오래 걸리기 때문에 병아리를 지속적으로 관찰하는 시간 동안 LOI 2~3이 진행되었습니다. 그래서 이 단원을 모두 마칠 때쯤에야 관찰 보고서를 완성할 수 있었습니다. 병아리들은 중병아리 이상 되었을 때 부모님의 허락 아래 원하는 학생 가정에 분양했습니다. 닭에게도 자기 생을 모두 살아보는 기회를 주자고 했는데 지금 그 닭들은 과연 어떻게 살아 있는지 모르겠습니다.

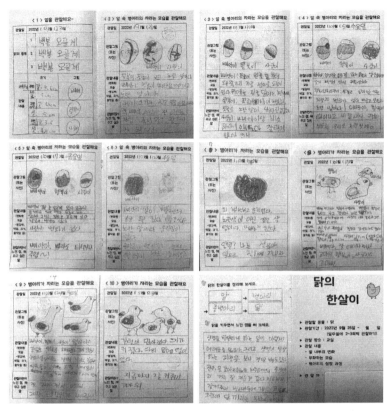

〈닭의 한살이 관찰일지〉

최종 학부모 피드백을 마치고, 관찰일지까지 모두 마감하고, 병아리를 분양까지 마쳤을 때 뭔가 대장정이 끝난 듯한 느낌이었습니다. 아이들도 3학년 마칠 때 가장 기억에 남는 UOI로 이번 단원을 꼽는 아이들이 많았습니다.

하지만 제가 한 수업이 절대 IB 수업의 모델이 될 수 없습니다.

어수룩하고 허점투성이입니다. 아마 기존의 IB 교사들이 보시면 이건 개념기반 탐구학습이 아니라고 콧방귀를 낄지도 모릅니다. 그러나 제목처럼 아이들과 함께한 이상한 쌤의 IB 수업 도전의 부족한 결과물이라고 봐주시면 좋겠습니다. IB를 처음 접하는 분들도 그냥 '이럴 수도 있구나' 정도로 생각해 주시면 좋겠습니다.

그럼에도 불구하고 제가 이 단원을 이렇게 자세히 소개한 이유는 이 단원을 전후로 해서 학생들의 자기 주도성 검사를 실시했고, 의외로 상당히 의미 있는 결과가 도출되었기 때문입니다. 이제부터는 그 이야기를 해보겠습니다.

Ⅳ. 학생의 자기 주도성에 미치는 영향

1. 사전/사후설문 실시 결과

이번 단원을 시작하면서 학생들에게 자기 주도성 검사를 실시했습니다. 검사 도구는 2021년 경기도교육연구원에서 조윤정 연구위원을 연구책임자로 하여 실시하였던 「학생 주도성 측정 도구 개발 연구」에 사용했던 설문지의 설문 안내문만 수정하여 사용하였습니다. 문항은 총 48개 문항으로 구성되었으며 동기, 자기효능감, 자기성찰, 성장마인드셋, 목표설정, 주도적 실행, 노력 지속, 의사소통, 배려, 협력, 공동체 의식, 참여 의식이라는 12개 영역을 측정하고 있습니다. 각 영역당 4개 문항씩 구성된 설문지입니다. 설문대상은 제주북초등학교 3학년 학생 40명이고 사전설문은 2022년 8월 25일에 실시하였으며 사후설문은 2022년 10월 26일에 실시하였습니다. 설문지는 부록을 참고하여 주시면 감사하겠습니다.

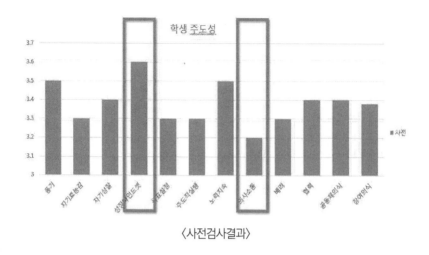

〈사전검사결과〉

　사전설문에서도 우리 아이들은 결코 낮지 않은 자기 주도성을 가지고 있는 것으로 나타났습니다. 모든 영역에서 5점 척도 중 3점이상을 기록하고 있었습니다. 사전 조사에서 문항 평균 3.5를 넘긴영역은 하나 있었는데 '성장마인드셋' 영역으로, 문항 평균이 3.6점이며 관련 문항은 다음과 같습니다.

• 적극적이고 능동적인 태도를 갖는다면 내 삶이 나아질 것이라고
　생각한다.
• 열심히 노력하면 내 삶을 개척할 수 있다고 생각한다.
• 새로운 것을 배우고 공부하면 성장할 것이라고 생각한다.
• 어려운 일을 완수하지 못했을 때, 다음번에 그 일을 할 때는 더
　열심히 노력하겠다고 마음먹는다.

아이들이 뭔가 성장하고자 하는 긍정적인 마인드가 있어서 향후 발전이 매우 기대되었습니다.

사전설문에서 가장 낮은 점수를 기록한 영역은 '의사소통' 영역이었습니다. 아무래도 '코로나 키즈'여서 일까요? 의사소통은 5점 척도에서 문항 평균이 3.2가 나왔고 관련 문항은 다음과 같습니다.

- 다른 사람의 이야기를 잘 경청한다.
- 상대방의 말을 들을 때는 그 의도를 파악하기 위해 표정과 몸짓도 함께 살핀다.
- 내가 말하고자 하는 것을 근거를 통해 명확하게 표현한다.
- 나는 내가 생각하고 느끼는 것을 다른 사람들에게 잘 이해시킨다.

약 두 달 뒤 실시한 사후설문에서는 어땠을까요? 사실 저와 동학년 선생님은 사후설문에 대한 기대가 별로 없었습니다. 의외로 사전설문의 결과가 좋았기 때문입니다. 두 달 사이에 많은 사건 사고가 있었고 저와 동학년 선생님은 사실 녹초가 되어있었습니다. 그런데 사후설문결과는 놀라웠습니다. 모든 영역에서 통계적으로 유의미한 상승이 있었습니다. 모든 영역이 문항 평균 3.5점을 넘었고, 4점을 넘는 문항들도 있었습니다. 심지어 3학년 아이들은 두 달 전에 같은 설문을 했다는 사실도 완전히 잊고 있었습니다. 사후설문을 마치고 "이거 두 달 전에 했던 거랑 같은 거야!"라고 했더니, "네? 이런 거 했었어요?"라고 되묻는 아이들이 대부분이었습니다.

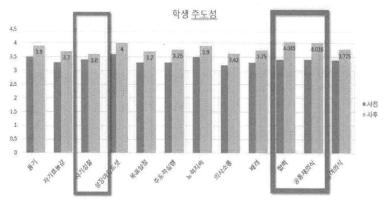

〈사전 사후 설문결과 비교〉

사전설문에 비해 사후설문에서 가장 높은 상승을 기록한 영역은 협력과 공동체 의식 영역이었습니다. 두 영역 모두 문항 평균이 3.4에서 4점 이상으로 상승했고 동시에 가장 높은 영역이기도 합니다. 모둠활동할 때 그렇게 싸우더니 협력 영역에서 크게 상승하여 놀랐습니다. 먼저 협력 영역의 문항은 다음과 같습니다.

- 과제나 활동을 혼자서 하는 것보다 다른 친구들과 함께 해결하는 것이 더 효과적이다.
- 나는 과제나 활동을 친구들과 함께하길 좋아한다.
- 과제를 함께 하는 과정에서 친구들과 좋은 관계를 맺기 위해 노력한다.
- 내가 배우고 알게 된 내용을 친구들과 공유한다.

다음으로 공동체 의식 영역의 설문 문항은 다음과 같습니다.

- 내가 속한 곳(학교, 지역사회 등)에서 일어나는 일들에 관심을 가진다.
- 좋은 사회는 시민들의 노력으로 만들 수 있다.
- 기후변화, 환경오염 등과 같은 문제는 나에게도 밀접한 관련이 있다.

이번 단원의 초학문적 주제가 우리 모두의 지구이고, 지구와 동물이라는 단원 특성상 공동체 의식 문항인 '기후변화, 환경오염 등과 같은 문제는 나에게도 밀접한 관련이 있다.'라는 문항에서의 상승, 그리고 '좋은 사회는 시민들의 노력으로 만들 수 있다.'와 같은 문항의 상승은 캠페인 활동을 아이들이 워낙 열심히 했기 때문에 당연히 상승할 수 있다고 보았습니다. 하지만, '내가 배우고 알게 된 내용을 친구들과 공유한다.' 또는 '나는 과제나 활동을 친구들과 함께하길 좋아한다.'와 같은 협력의 영역이 더 상승한 것은 뜻밖이었고, 그동안 아이들과 협력하며 학습하도록 했던 우리의 의도가 그대로 아이들에게 녹아 들어간 것 같아서 더욱 뿌듯했습니다.

반면에 자기 성찰 영역은 가장 낮은 상승을 보였습니다. 사전 문항 평균점수 3.4에서 사후 문항 평균점수가 3.6이 나왔습니다. 자기 성찰 영역의 문항은 다음과 같습니다.

- 나는 내가 한 행동에 대해서 다시 한번 생각해 본다.
- 내가 겪는 경험들이 나에게 어떤 의미가 있는지 생각해 본다.
- 나는 내가 하는 행동이 나와 다른 사람들에게 미치는 영향에 대해서 생각해 본다.
- 어떤 활동을 할 때 실수한 부분이 있으면 다음번에는 잘할 수 있는 방법을 생각해 본다.

　문항을 보면, 문항 자체가 초등학교 3학년 아이들에게는 너무 어렵습니다. 아쉽게도 이 측정 도구가 중고등학생을 대상으로 한 학생 주도성 설문이었던 만큼 해당 문항 자체가 초등학교 3학년 아이들에게는 너무 어려웠습니다. 초등학생에게 딱 맞는 측정 도구를 찾지 못하여 최대한 쉬운 말로 풀어서 설명한다고 했지만 자기 성찰 영역의 질문은 아무래도 3학년 아이들에게는 다소 어려움이 있었던 것으로 해석됩니다.

2. 설문결과를 보며

　이 설문 조사는 동일한 기간에 동일 지역, 동일 학년의 비교집단을 갖추고 실시하지 못했습니다. 비교군 없이 사전 사후 결과만을 놓고 비교하기에 연구로서 한계가 있습니다. 만약 비교집단이 있었다면 어땠을까 하는 아쉬움이 큽니다. 그럼에도 이번 설문결과를 보며 크게 세 가지를 생각할 수 있었습니다.

첫째, IB PYP 프로그램 자체가 가지고 있는 힘이 있다는 것입니다. IB 프로그램이 학생의 주도성을 강조하고 있고, 그 과정에서 실제로 아이들에게 주도권을 주도록 되어 있기 때문에 자연스럽게 학생들의 자기 주도성이 신장될 수밖에 없다는 생각이 듭니다. 이 프로그램을 제가 아니라 다른 누군가가 했어도 결과는 비슷했을 것 같습니다. 실제 저와 옆반선생님은 성별도 다르고 나이는 무려 20년 차이나 나며 성향도 매우 다릅니다. 그럼에도 불구하고, 양쪽 반에서 모두 비슷한 결과가 나온 것을 볼 때 담임의 영향보다 오히려 프로그램 자체의 영향에 의한 결과가 아닐까 생각해 봅니다.

둘째, '우리는 정말 아이들에게 주도권을 주고 있나?' 하는 생각을 하게 됩니다. 이제까지의 학교 교육에 대한 반성이 들었습니다. 이전 학교에서 프로젝트 학습을 한다고 하면서 아이들에게 주도권을 넘기려고 했었지만, 번번이 내가 아이들과 교육과정의 멱살을 잡고 끌고 가지 않았나 하는 생각을 하게 됩니다. IB 수업을 하면서 '방학 때 그렇게 고생해서 계획했는데 정말 아이들 생각이 내 계획과 달라도 되나? 중심 아이디어, 핵심 개념과 같이 단원의 중핵이 되는 부분까지 아이들이 결정하고 이끌도록 해도 될까?' 하는 불안과 고민이 항상 있었습니다. 그러나 저와 같은 IB 학교에 한 선생님은 평가 영역까지 아이들에게 주도권을 넘기고, 가이드하시는 선생님도 많이 계셨습니다. 불안해하는 나와 주도권을 넘기는 IB 선생님들을 보면서 '정말 교육과정을 함께 만들어간다는 것은 무엇일까? 우리 교육과정은 정말 아이들에게 주도권을 넘겨줄 준비가 되어있나?' 하는 생각을 하게 되었습니다.

셋째, IB PYP가 2022 교육과정의 좋은 시범학교가 될 수 있겠다는 생각을 하게 되었습니다. 2022 개정 교육과정은 IB처럼 개념 기반 탐구학습에 근간을 두고 있습니다. 그러나 개념기반 탐구학습이 학교 차원에서 동의되고 설계된 어떤 프레임 워크를 가지고 있는 경우는 거의 없습니다. 그런 의미에서 2022 개정 교육과정이 잘 정착된 모델을 IB 학교에서 찾을 수 있다고 생각합니다. IB PYP 학교의 프로그램과 수업을 보면서 2022 개정 교육과정을 초등학교 차원에서 어떻게 구현할지 연구하는 좋은 예시가 될 수 있습니다. 어차피 2022 개정 교육과정으로도 개념기반 탐구학습을 할 수 있는데 굳이 돈 들여서 IB를 들여와야 하냐고 쉽게 말할 수 없는 부분이 여기에 있습니다. 2022 개정 교육과정으로 그것을 할 수 있다고만 들었지, 실제 개념기반 탐구학습이 학교 전체 교육과정 차원에서 실현된 모습을 우리는 거의 본 적이 없습니다. 과거에 수없이 반복해왔던 시범학교 수준으로는 안 됩니다. 저는 대한민국의 모든 학교가 IB 월드스쿨이 될 수도 없고 결코 그래서도 안 된다고 생각합니다. 그러나 입시와 아직 직접적인 연관이 없는 초등부터 적어도 시도 별로 1~2개 학교가 IB 학교로 정착된다면 2022 개정 교육과정이 의미 있게 한국교육에 뿌리내리는 데 모델이 될 뿐만 아니라 우리 학교 아이들이 그랬던 것처럼 미래 사회를 대비한 우리 아이들의 성장에서도 기여하는 바가 클 것이라고 예상합니다.

V. 제주 IB 교육 효과 분석 종단연구를 하고

서두에 언급한 것처럼 저는 표선지역 IB 효과성 검증 종단연구에 참여했습니다. 원래 4년에 걸친 종단연구를 할 것으로 예상했지만, 아쉽게도 2년만 연구가 진행되고, 제주도 교육감이 바뀐 이후에 무슨 이유에서인지 도의회에서 연구 예산이 전액 삭감되면서 연구가 멈췄습니다. 그러나 2년의 연구만으로도 의미 있는 지점이 있어 몇 가지만 이 책에서 다루려고 합니다. 이후로 제시되는 내용은 모두 제가 직접 참여한 「2022 제주특별자치도교육청 위탁연구 최종보고서 – IB 교육효과 분석 종단연구 (2년차)」 내용을 재구성한 것임을 밝힙니다. 연구보고서는 학생설문, 학생면담, 인지적 역량평가, 교사설문, 교사면담, 학부모설문 등 방대한 데이터가 담겨 있습니다. 그중 특히 교사 대상 설문 내용과 학생의 인지적 역량평가 내용의 일부만을 다루려 합니다. 참고로, 교사 대상 연구에 사용된 설문 문항은 한국교육개발원(KEDI)에서 개발한 종단연구 설문지(최인희 외, 2019)와 OECD에서 개발한 국제교원 설문조사(TALIS, 2018)의 문항을 활용하였습니다. 설문 대상은 표선지역 4개 학교 (초등학교 2,

중학교 1, 고등학교 1) 약 94명의 교사를 대상으로 2021년과 2022년 두 차례에 걸쳐 같은 문항으로 진행하였습니다.

1. 성장하는 교사들

전체 연구에서 제가 눈여겨보고 지면에 꼭 싣고 싶었던 부분은 2년 만에 나타난 교사들의 변화입니다. 교사 대상 양적 연구에서는 ① 인식론적 신념, ② 교육관, ③ 직무만족도, ④ 교사 효능감, ⑤ 전문성 개발, ⑥ 교육 활동 이렇게 6가지 영역에 약 200여 개가 넘는 질문들을 쏟아부었습니다. 힘든 설문이었지만 그 결과는 상당히 유의미했습니다. 1년 만에 거의 모든 영역에서 통계적으로 유의미한 향상을 보였습니다. 그중 특별히 인상적인 결과를 몇 가지를 소개하고자 합니다.

먼저, 교사의 인식론적 신념을 묻는 질문들에서 교사들은 이전보다 유연한 인식론적 신념을 갖게 되었습니다. 예를 들어 '어떤 지식이 옳고, 그른가는 결국 각 개인이 그 지식을 비판적으로 판단해서 결정해야 한다.'와 같은 문항 등에서 전년도와 확연한 차이를 보였고, 그 외의 문항에서도 모두 차이를 나타냈습니다. 학교라는 관료 조직에 일하면서 이렇게 인식론에 변화를 경험하는 일은 결코 쉽지 않은 일이라 상당히 인상적이었습니다.

〈교사 인식론적 신념〉

40. 공부는 하면 할수록 배워야 할 것이 더 많아지는 과정이다.
33. 전문가가 쓴 교과서라도 틀린 부분은 없는지 잘 살펴보아야 한다.
24. 아무리 좋은 이론도 새로운 사실이 발견되면 수정될 필요가 있다.
26. 하나의 사실을 잘 이해하기 위해서는 다른 사실과의 연계성을…
23. 동일한 현상도 보는 관점에 따라 다르게 파악된다.
21. 잘 알려진 사실도 새로운 자료가 발견되면 다시 해석될 필요가…
39. 공부는 서두르지 않고 학습내용에 대한 이해의 깊이를 더해가는…
27. 공부에서 중요한 것은 개별적인 사실이나 지식들을 통합하여…
34. 노벨상을 받은 학자의 이론이라도 문제점은 없는지 비판적으로…
25. 새로운 지식은 기존의 지식과 연계하여 이해해야 한다.
30. 일반인도 합리적인 작업을 통해 가치 있는 지식을 형성할 수 있다.
22. 미래사회에 지식이 어떻게 변할지는 예측하기 힘들다.
38. 공부는 천천히 지식을 다져가는 과정이다.
29. 일반인도 체계적인 사고를 통해 새로운 이론을 만들 수 있다.
37. 공부는 꾸준히 노력해서 지식을 넓혀가는 과정이다.
32. 일반인도 어떤 현상을 새롭게 해석하여 의미 있는 지식을 만들…
35. 어떤 지식이 옳고, 그른가는 결국 각 개인이 그 지식을…
36. 각 개인은 비판적인 판단을 통해 옳은 이론을 스스로 선택해야…
28. 전체적인 원리를 깨닫는 것이 차세한 사항들을 기억하는 것보다…
31. 합리적으로 작업한다면 일반인들이 전문가보다 훌륭한 이론을…

1.00   2.00   3.00   4.00
■2022 ■2021
전혀 그렇지 않다   매우 그렇다

둘째로, 교사로서의 효능감에 관한 질문들에서 1년 사이에 교사로서의 효능감이 상당히 향상되었습니다. 사실 저는 이 부분에서 많이 놀랐습니다.

〈제주 공립 IB 학교 교사의 효능감: 학생 참여〉

설문 문항	평균	표준편차
선생님은 학생들을 가르칠 때 다음의 행동들을 어느 정도 하실 수 있습니까?		
2. 학생들이 배움을 가치 있게 여기도록 돕기	3.47	0.56
1. 학생들에게 학업을 잘 해내고 있다는 믿음 주기	3.37	0.53
4. 학생들이 비판적으로 사고할 수 있도록 돕기	3.09	0.63
3. 학업에 관심 없는 학생들에게 동기 부여하기	2.91	0.71
학생참여	3.21	0.46

〈제주 공립 IB 학교 교사의 효능감: 학급 경영〉

설문 문항	평균	표준편차
선생님은 학생들을 가르칠 때 다음의 행동들을 어느 정도 하실 수 있습니까?		
6. 학생들의 행동에 대한 기대를 명확히 하기	3.25	0.57
7. 학생들이 학급규칙을 따르도록 만들기	3.10	0.56
8. 방해가 되거나 시끄러운 학생을 진정시키기	3.08	0.64
5. 교실에서 방해되는 행동을 통제하기	3.03	0.64
학급 경영	3.12	0.46

〈제주 공립 IB 학교 교사의 효능감: 교수·학습〉

설문 문항	평균	표준편차
선생님은 학생들을 가르칠 때 다음의 행동들을 어느 정도 하실 수 있습니까?		
11. 학생들이 잘 이해하지 못할 때 다른 방식으로 설명해 주기	3.33	0.60
13. 디지털기술(예: 컴퓨터, 태블릿, 전자칠판)을 활용하여 학생들의 학습을 지원하기	3.32	0.59
12. 수업 시간에 다양한 교수 전략을 사용하기	3.22	0.65
9. 학생들을 위해 좋은 문제 만들기	3.11	0.62
10. 다양한 평가 전략을 사용하기	3.02	0.71
교수·학습	3.20	0.50

수업에 있어서 가장 핵심적인 학생 참여, 학급 경영, 교수·학습이라는 영역에서 1년 사이에 표선지역 IB 교사들의 효능감이 상당히 의미 있게 상승한 모습을 볼 수 있었습니다.

제 개인적으로 20년 가까이 교사 생활을 했지만, 학교 안에서는 정작 성장한다는 느낌을 받기가 어려웠습니다. 늘 좋은교사운동과 같은 학교 밖의 연구모임을 통해 전문성을 신장시켜 왔습니다. 아마도 학교 안에서 특별히 전문적 학습공동체를 내실 있게 운영하는 경우가 아니라면 대부분 저와 같은 경험이지 않을까 싶습니다. 그런데 이와 같은 효능감의 향상은 상당히 고무적입니다. 가만히 생각해 보면 20년 차가 다 되어가는 저도 IB 후보학교에 1년 근무하는 동안 저 스스로 굉장히 성장했구나 하는 생각을 하게 됩니다. 그리고 저의 그런 느낌이 제 개인적인 느낌만이 아님을 실제 종단 연구 설문을 통해 확인할 수 있어서 더욱 의미 있었습니다. 한국의 공립학교 상황에서 스스로 전문성이 이렇게 향상되었다고 느끼는 경우는 분명 흔하지 않은 일이라 생각됩니다.

셋째로, 학교 환경에 대한 인식 및 교사들의 협력 활동 또한 향상되었습니다.

〈제주 공립 IB 학교 교사의 학교 환경에 대한 인식〉

설문 문항	평균	표준편차
1. 이 학교의 대다수 교사들은 수업에 관한 새로운 아이디어를 개발하기 위해 노력한다.	3.75	0.44
3. 이 학교의 대다수 교사들은 문제 해결을 위해 새로운 방법을 모색한다.	3.57	0.62
4. 이 학교의 대다수 교사들은 새로운 아이디어를 적용하기 위하여 서로에게 실제적인 지원을 한다.	3.54	0.62
2. 이 학교의 대다수 교사들은 변화에 개방적이다.	3.53	0.60

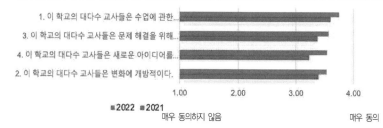

〈제주 공립 IB 학교 교사의 협력 활동〉

설문 문항	평균	표준편차
11. 동학년 또는 동교과 협의회에 참석하기	3.57	0.68
12. 협력적 전문 학습 활동에 참여하기	3.45	0.73
9. 특정 학생들의 학습 발달에 관해 토의하기	3.35	0.75
10. 학생들의 향상 과정을 평가하기 위한 공통 평가 기준을 확립하기 위해 우리 학교의 다른 교사들과 협력하기	3.08	0.83
8. 수업교재를 동료들과 교환하기	2.97	0.98
6. 다른 교사들의 수업을 관찰하고 피드백 제공하기	2.83	0.78
7. 다른 학급 및 학년 간의 공동 활동(예: 프로젝트)에 참여하기	2.60	1.00
5. 한 학급에서 한 팀을 이루어 공동으로 수업하기	2.50	1.03

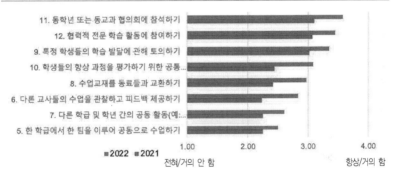

통계 결과를 볼 때 IB가 각자도생의 학교 문화에서 벗어나 서로 협력하게 하는 효과가 있음을 예상할 수 있습니다. 제 개인적인 경험에 비추어 봐도 IB 수업을 했던 지난 1년 동안 동학년 선생님과 그 어느 때보다 수업에 대해 많은 대화와 협업을 했습니다. 매일 다음날의 수업에 대해서 이야기하며 퇴근 시간을 넘긴 적인 한두 번이 아니었습니다. 초등뿐 아니라 교과 간의 벽이 높은 중고등학교에서도 교과를 넘어서서 서로 협력할 수밖에 없는 조건을 IB가

만들어준 것이 아닐까 예상해 봅니다.

넷째로, 평가의 적극성 또한 향상되었으며, 평가 방법과 피드백 방법도 다양해진 것으로 나타났습니다.

〈제주 공립 IB 학교 교사의 평가 적극성〉

설문 문항	평균	표준편차
16. 학생들이 특정 과제를 수행하는 것을 관찰하고 신속한 피드백을 제공한다.	3.14	0.78
13. 나는 나만의 평가방식으로 학생을 평가한다.	3.03	0.79
15. 학생들이 자신의 학습 과정을 스스로 평가하게 한다.	2.80	0.88
14. 학생의 과제에 성적(예: 점수 또는 등급)과 더불어 의견을 적어준다.	2.75	0.86

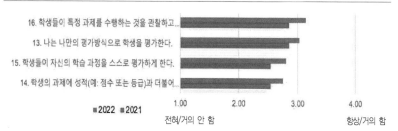

〈제주 공립 IB 학교 교사의 피드백 방법〉

설문 문항	평균	표준편차
75. 전체 학생에게 구두로 간단한 의견 제시	3.36	0.62
77. 개별 학생에게 구두나 서면으로 간단한 의견 제시	3.22	0.71
74. 전체 학생에게 우수 사례 제시 및 공유	3.11	0.80
78. 개별 학생에게 자세한 첨삭지도 제공	2.75	0.88
76. 개별 학생에게 점수(등급) 제시	2.72	1.06

〈제주 공립 IB 학교 교사의 수행평가 유형〉

설문 문항	평균	표준편차
90. 논·서술형 평가	3.16	0.89
91. 개인별 프로젝트 과제(연구보고서 작성, 산출물 제작 등)	3.07	0.82
96. 포트폴리오 평가	2.78	1.04
92. 소집단별 프로젝트 과제(연구보고서 작성, 산출물 제작 등)	2.72	0.93
93. 실험/실습/실기에 의한 평가	2.70	1.05
94. 토론에 의한 평가	2.17	0.98
95. 구술시험에 의한 평가	2.13	1.13

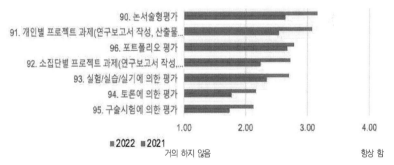

　　백워드 디자인(이해중심 교육과정)을 기반으로 하는 IB 교육과정
에서 평가의 중요성은 더 강조할 필요가 없습니다. 성적 내기, 내신

등급 산출을 위한 평가가 아닌 피드백과 성장을 위한 평가는 IB뿐만 아니라, 모든 교육과정에 꼭 필요한 일입니다. 그런 의미에서 이러한 평가의 적극성 향상 그리고 평가 방법과 피드백의 다양화는 매우 의미 있는 변화라고 생각됩니다.

제 개인적으로도 IB 교육과정 운영 1년을 마치는 시점에서 평가에 대한 고민이 가장 깊었습니다. 개정 교육과정에서 아무리 과정 중심 평가를 강조해도 변하지 않았던 저의 평가방식이 IB PYP를 하면서 조금씩 변하게 된 것입니다. 설문 결과를 보면서 제가 계속 IB 학교에 남아 있었다면 평가에 있어서 저 스스로 어떤 성장을 하게 되었을지 궁금해지기도 했습니다.

1년 사이에 이렇게 교사의 인식론이 변하고, 학급 경영과 수업의 효능감이 향상되고, 동료 교사와의 협업이 일어나고, 평가의 적극성이 살아나서 실제 평가와 피드백의 변화가 일어난다는 것은 굉장히 고무적인 일이 아닐 수 없습니다.

다음으로, 이러한 성장에는 분명 성장통이 발생합니다. 의미 있는 성장이 있던 만큼 IB 교사들의 업무 스트레스도 상당히 늘어난 모습을 볼 수 있었습니다.

〈제주 공립 IB 학교 교사의 과업 스트레스〉

설문 문항	평균	표준편차
이 학교에서의 직무를 생각했을 때, 다음의 사항들은 업무상 스트레스에 어느 정도의 원인이 됩니까?		
16* 학생들의 학업성취도에 대한 책임	3.09	0.85
11* 과도한 수업 준비	2.98	0.81
21* 학습부진 학생 지원	2.78	0.91
19* 교육 지원청, 시도교육청 또는 교육부 등 관련 기관으로부터의 제반 요구 조건 대응	2.71	0.98
13* 과도한 채점 업무	2.71	0.97
20* 학부모 또는 보호자의 민원 대응	2.70	1.03
17* 교실에서의 질서유지	2.68	1.04
14* 과도한 행정업무	2.40	1.09
12* 과도한 수업 시간	2.24	0.89
18* 학생으로부터의 위협 또는 언어폭력	2.11	1.05
15* 결근한 교사로 인한 추가적인 업무	1.84	1.01
과업 스트레스	2.57	0.54

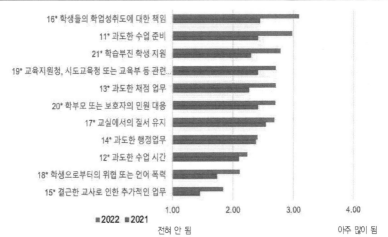

교사들의 과업 스트레스가 상당히 높아진 것을 한눈에 알 수 있습니다. 저도 IB 첫해에 스트레스가 이만저만이 아니었습니다. 그런데 여기서 재미있는 점은 2021년 1차년도에 교사의 과업 스트레스 원인으로 가장 높게 나타난 것은 '교실에서의 질서 유지', '학부모 민원 대응', '교육 당국(교육 지원청, 시도교육청 또는 교육부 등 관련 기관)으로부터의 제반 요구 조건 대응' 등이었는데, 2차년도의 가장 큰 스트레스 원인은 '학생들의 학업성취도에 대한 책임감'이었고, 이어지는 스트레스 원인 순위는 '과도한 수업 준비', '학습부진 학생 지원'이었습니다. 교사 과업 스트레스의 원인이 수업과 직접 관련이 적은 사안에서 교수·학습과 직결된 사안으로 바뀐 것은 긍정적인 변화라고도 볼 수 있습니다. 다만 과업 스트레스가 초기 적응기에 일시적으로 증가하는 것이 아니라 지속적으로 악화되는 수준이 된다면 교육 당국과 관리자는 학교 내 업무 구조가 교사들의 번아웃이 우려되는 업무 구조인 것은 아닌지 세심한 점검이 필요할 것입니다. 이 부분은 종단연구를 계속 진행하지 못해 매우 아쉬운 부분입니다.

전 세계 160여 개 나라에 확산되고 있는 IB 학교의 초기 인증 과정에서는 대다수의 교사들이 새로운 업무에 대한 부담과 혼란을 느낀다고 합니다. 그러한 스트레스와 혼란이 가라앉고 IB 수업이 편해지기까지 걸리는 시간은 개인차가 있겠지만 수개월에서 수년이 걸리기도 한다고 하네요. 처음에 익숙해지기까지는 패닉에 가까운 혼란을 겪기도 하지만 일단 익숙해지면 다시 예전 교육 체제로 돌아가길 원치 않게 되는 것이 대다수 IB 교사들의 반응이라고 합니다. 물론 해외 사례들과 달리 우리나라 공교육에서는 또 다른 맥락과 변수들이 있을 수 있습니다. 우리 공교육은 국내외 IB 국제학교나 해외 선진국 학교에 비해 공문 및 잡무가 압도적으로 많으니 말입니다. 초기의 부담과 혼란이 언제쯤 편해질 수 있는지는 종단연구를 거치며 좀 더 지켜봐야 하는데 그러지 못한 점이 못내 아쉽습니다. 제가 연구 중단의 아쉬움을 반복해서 토로하는 이유는 교사들의 스트레스 원인이 교수·학습과 직결되지 않은 사안에서 교육의 본질적 이슈로 전환된 것은 일단 긍정적이지만 관리 가능한 범위 내에서의 스트레스여야만 시스템이 지속 가능하기 때문입니다. 만약 그렇지 못한다면, 외부 시험이 있는 DP를 제외하고 PYP, MYP를 운영하는 많은 IB 학교들이 IBO 인증을 받은 후에 더 발전하지 못하고 그 수준에서 머물거나 좀 더 편한 방식을 찾게 될 것이기 때문입니다.

제 개인적으로도 IB 학교를 1년밖에 경험하지 못해 시간이 지나면서 이 부분이 어떻게 달라질지 궁금합니다. 제가 있던 학교에서 담임은 수업에만 전념할 수 있었지만 담임이 아닌 경우, 특히 코디네이터의 경우는 대부분 연구부장을 겸하고 있기 때문에 더욱 업무 강도가 높았습니다. 국내 공립학교에 IB를 도입하려는 시도교육청에서는 이 부분을 심각하게 고민하여야 할 것입니다.

〈제주 공립 IB 학교 교사의 IB 만족도〉

설문 문항	평균	표준편차
각 항목에 대한 선생님의 의견에 표시하여 주십시오.		
20. IB 교사가 된 것이 자랑스럽다.	2.73	0.87
19. IB 교육을 알기 이전으로 돌아가고 싶지 않다.	2.57	0.85
21. 다른 교사를 IB 교사가 되도록 설득할 수 있다.	2.38	0.87
18. IB 수업을 하는 것이 편안하다.	2.33	0.84
23. IB 교육의 연수 강사가 되고 싶다.	2.08	0.98
22. IB 채점관에 지원하고 싶다.	2.01	0.91
IB 만족도	2.35	0.86

그럼에도 불구하고, IB 교사들의 IB 만족도가 향상된 것은 상당히 놀라운 현상이 아닐 수 없습니다. 게다가 더욱 인상적인 것은 IB 연수 강사가 되거나 IB 채점관이 되고자 하는 욕구가 없음에도 불구하고, IB 교사가 된 것이 자랑스럽고 IB 이전으로 돌아가고 싶지 않다는 응답이 향상되었습니다. 이는 분명 가르치는 사람의 입장에서 느끼는 IB 교육의 내적 매력이 존재한다고 보는 것이 맞겠습니다.

저 역시 IB 이전으로 돌아가고 싶은 마음이 없습니다. 복직하면 다시 IB 학교에 가거나, 만약 그렇지 못하더라도 이전과는 분명 다른 수업을 하고 있을 것 같습니다.

또한, 제가 제 자녀를 IB 학교에 보내는 것도 같은 이유에서입니다. 교사가 성장하는 학교에서는 반드시 학생들도 성장할 것이라는 기대, 아니 확신이 있기 때문입니다.

2. 제주 IB로부터 배우라

저희 연구에서 또 재미있는 지점이 있습니다. 바로 경기 종단연구와 저희 연구를 비교한 부분입니다. 참고로 저희는 중학교와 고등학교 학생들을 대상으로 인지적 역량평가를 실시하였습니다.

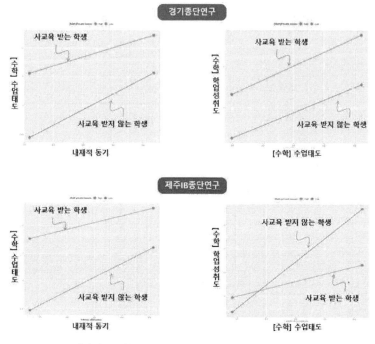

〈경기 종단연구와 제주 IB 종단연구 비교 분석〉7)

---

7) 이혜정 외, 「IB 교육효과 분석 종단연구 최종 보고회 자료집」, 제주특별자치도교육청 2022.

위의 그림은 경기 종단연구와 제주 IB 종단연구 대상 학생들의 수학과에서의 내재적 동기와 수업 태도의 관계, 학업성취도와 수업 태도와의 관계를 사교육을 받는 집단과 그렇지 않은 집단으로 나누어 분석한 그래프입니다.

경기 종단연구에서는 내재적 동기가 높으면 수업 태도가 좋고, 수업 태도가 좋으면 자연히 학업성취도가 좋았습니다. 그러나 사교육을 받는 학생의 학업 성취도를 사교육을 받지 않는 학생들은 내적 동기가 높거나 수업 태도가 좋아도 도저히 따라갈 수 없었습니다. 그리고 그 격차는 더욱 벌어졌습니다.

그런데 재미있는 것은 제주 IB 종단연구 결과에서는 경기 종단연구와 독특한 차이를 보인다는 것입니다. 내적 동기가 높으면 수업 태도가 좋고, 수업 태도가 좋으면 학업 성취도가 높은 것은 동일하지만, 수업 태도가 어느 수준 이상이 되면 사교육을 받지 않는 학생이 사교육을 받는 학생의 학업성취도를 훨씬 상회했으며, 그 격차도 큰 것으로 나타났습니다. 학교에서의 수업 태도가 사교육 여부와 상관없이 학업성취도에 미치는 영향이 큰 것은 공교육 정상화 차원에서도 매우 중요하고 의미 있는 결과라고 볼 수 있습니다. 즉, 위의 그래프는 어쩌면 IB가 사교육을 낮추고 공교육의 정상화에 이바지할 수도 있다는 근거가 될지도 모릅니다.

그러나 저는 다른 지역의 IB 학교를 비교해도 이러한 독특한 결과는 찾기 힘들 것으로 예상합니다. 제가 해석하기에 이와 같은 현상은 제주도 교육청이 사교육 영향이 적고, 교육적으로 상당히 낙후된 '표선'이라는 지역의 초, 중, 고에 IB 교육을 적용했기 때문에 나타나는 현상으로 보입니다. 대구의 IB DP 학교들처럼 이미 사교육에 단련된 우수한 학생들이 많고, 주변에 사교육 시장이 잘 형성되어 있으며, 심지어 수능반과 IB반을 구분하여 운영하는 학교에서는 분명 다른 결과가 나올 수 있습니다. 그렇다면 IB의 공교육 정상화 효과는 어디에서 나타나는 것일까요? 결국, IB는 열악한 지역부터 공교육에 적용했을 때 그 효과가 높은 것입니다.

최근 IB를 지정하겠다는 지역이 많아지고 있습니다. 사실상 가장 많은 학교와 학생을 데리고 있는 경기도 교육청이 IB에 관심을 갖는 것이 결정적이라고 하겠습니다. 저는 경기도가 대구가 아닌 제주로부터 배우기를 원합니다. 이미 똑똑한 아이들이 넘쳐나는 학교에 IB반 하나 추가로 만들어서 외국 학교 진학이나 국내 상위 대학의 등용문으로 활용하지 않기를 원합니다.

특히나 서울 주요 대학의 등용문으로 활용되는 순간, IB는 더 촘촘한 고교 서열화와 학생 줄 세우기의 도구로 전락해 버릴지도 모릅니다. 자사고와 특목고가 2025년에도 여전히 사라지지 않고 존재하는 가운데, 명문고에 IB 반을 만들어 학생을 선발한다면, IB반 준비 학원이 대치동에 또 생겨날 것이 뻔합니다. 그러니 제발 제주처럼 교육적으로 낙후된 지역에 먼저 IB 교육을 적용하십시오. 그러면 제주 표선처럼 학교를 살리고, 지역을 살리고, 아이들을 살리고, 공교육을 정상화하는 좋은 도구가 될 수 있을 것입니다.

3. KB를 꿈꾸며

앞에서도 언급했지만 제 자녀가 2024년에 표선고등학교에 들어갑니다. 다른 학교에도 갈 수 있지만 표선고등학교에 가는 이유는 IB가 분명 아이의 성장에 도움이 되는 좋은 연장임을 확신하기 때문입니다. 제 짧은 경험과 연구에 비춰볼 때, IB는 미래 사회를 대비하는 좋은 연장임이 틀림없습니다. 그러나 한국처럼 소득 불평등과 사회적 양극화가 극심하여 입시경쟁교육이 심화된 나라에서는 좋은 연장이 엉뚱하게 사용될 수 있습니다. 이 좋은 연장이 고교 서열화의 또 다른 도구가 아닌 공교육 정상화와 미래 교육을 준비하는 도구가 되기를 바랍니다.

또한 대한민국 교사의 한 사람으로서 하루빨리 IB로부터 배울 것은 배우고, 불필요한 것은 버리고 우리만의 KB를 만들 수 있기를 기대합니다. 제가 기대하는 KB는 하나가 아니고 각 지역 교육청별로 여러 가지 프로그램이 개발되는 것입니다. 예컨대 제주는 JB, 대구는 DB, 서울은 SB처럼 말입니다. 각 시도교육청 별로 10가지 학습자상이 아니라 11가지 학습자상, 또는 9가지 학습자상이 나올 수도 있겠습니다. 글로컬 시대니 만큼 지역별로 추구하는 인재는 다를 수 있으니까요! 그러면 그에 따라 핵심가치, ATL도 지역별로 조금 달라질 수 있을지도 모릅니다. 그래서 결국 지역 교사에게는 자율권을 주는 프레임워크로서의 교육과정 시대가 열리기를 소망합니다.

KB가 만들어지면 당연히 대입도 변해야 합니다. 2028학년 대입 안을 보고 얼마나 많은 사람이 실망했는지 모릅니다. 고등학교 1학년부터 3학년까지 상대평가 경쟁을 해야 하는 내신 시스템, 더욱 영향력이 강해진 망국적인 오지선다 수능 시험. 우리는 언제쯤 여기서 벗어날 수 있을까요? 대입 제도 역시 IB로부터 배울 것은 배우고, 그래서 우리 안에 버릴 것은 버려야 합니다. 내신과 외부 평가의 균형을 맞춘, 학생들의 생각을 꺼내는 대입 제도를 만들어야 합니다.

이를 위해서는 행정부에 종속된 교육부가 아닌 국가교육회의가 먼저 나서서, KB 채점관을 양성하고 준비시켜야 합니다. 학교에서 내신은 절대평가로 전환하고, 이를 위해 IB처럼 내신 부풀리기가 발각되면 학교 전체에 페널티를 주는 방식도 함께 고민해야 할 것입니다.

더 나아가서 바라기는 이렇게 KB 교육을 받고 성장한 아이들이 우리 사회의 소득 불평등을 해소하고 양극화를 극복해 내는 어른으로 성장하기를 간절히 소망합니다. 사회가 교육을 이 지경으로 만들었지만, 결국 사회를 변화시킬 수 있는 것도 교육이니까요.

특별한 감사

2022년 못난 농부님의 수업을 재미있다고 잘 따라와 준 열매 맺는 나무반 23명의 아이들에게 고맙다는 말을 전하고 싶습니다.

매일 퇴근 시간 넘기며 나와 함께 수업을 고민해 준 '김윤주' 선생님에게 깊은 감사를 전합니다.

2023년 IB 월드스쿨 인증을 받은 제주북초등학교 임숙경 교장 선생님, 최지연 교감 선생님 이하 모든 선생님들께 축하와 감사의 인사를 드립니다.

또 IB 선배로서 많은 조언과 각종 자료를 아낌없이 나눠준 황지영, 현혜린 선생님, 잘 모르는 게 있으면 항상 전화해서 물어보곤 했던 한승훈 선생님까지 나보다 훌륭한 표선초등학교 세 후배님들께 감사드립니다.

그리고, 설문을 직접 찾아 주시고 나중에는 데이터 분석까지 직접 해주신 진용성 선생님께도 깊은 감사를 드립니다.

또한, 2년간 IB 종단연구를 함께 했던 이혜정 박사님, 홍영일 박사님, 진성은 교수님, 조현영 교수님, 권미애 교수님, 윤혜진 박사님, 서주희 선생님께 존경과 감사를 드립니다.

마지막까지 편집에 애를 먹이던 저를 인내로 받아주신 좋은교사 운동 김민정 간사님과 수업 중에 표지 디자인하느라 애써준 김현일 선생님께 감사드립니다.

끝으로 언제나 나의 든든한 후원자인 사랑하는 아내와 세 아들에게 고맙다는 말을 전하고 싶습니다.

참 고 문 헌

[단행본]

1. Carol Ann Tomlinson·Jay McTighe 공저, 『맞춤형 수업과 이해중심 교육과정의 통합』, 학지사2021.

2. Carla Marschall·Rachel French, 『개념 기반 탐구학습의 실천』, 학지사2021.

3. 제이 맥타이·그랜트 위긴스, 『핵심질문』, 사회평론아카데미2021.

4. H. Lynn Ericson·Lois.A 공저, 『개념기반 교육과정 및 수업』, 학지사 2021.

5. 김나윤·강유경, 『국제 바칼로레아 IB가 답이다』, Raon book2020

6. 온정덕 외 공저, 『교실 속으로 간 이해중심 교육과정』, 살림터2021.

7. 이혜정 외, 『IB를 말하다』, 창비2020.

8. 조현영, 『IB로 그리는 미래 교육』, 학지사2022.

[IBO자료]

1. Primary Years Programme The Learner, IB, IBO.

2. Primary Years Programme Learning & teaching, IB, IBO.

3. Primary Years Programme The Learning Community, IB, IBO.

4. Approaches to learning and approaches to teaching in the Middle Years Programme, IB, IBO.

[보고서]

1. 제주특별자치도교육청 지정 개념기반 교육과정 정책 연구학교 운영보고서, 「개념 기반 탐구학습 적용을 통한 핵심역량 함양」, 표선초등학교 2023.

2. 이혜정 외, 「2022 제주특별자치도교육청 위탁연구 최종보고서 – IB 교육효과 분석 종단연구 (2년차)」, 제주특별자치도교육청2022.

3. 이혜정 외, 「IB 교육효과 분석 종단연구 최종 보고회 자료집」, 제주특별자치도교육청 2022.

부록1. 학생주도성 측정 사전, 사후설문지

설문조사 안내

연 구 제 목: 학생주도성 측정도구 개발 연구

안녕하세요?

바쁘신 중에도 본 설문조사를 위하여 귀중한 시간을 할애해 주셔서 진심으로 감사드립니다.

경기도교육연구원에서는 중고등학생들의 '학생주도성'을 조사하는 도구를 개발하여 학생주도성을 높일 수 있는 방향을 모색하기 위한 연구를 수행하고 있습니다. 본 설문조사는 중고등학생을 대상으로 학생주도성을 조사하기 위해 온라인 설문조사를 2021년 7월 7일부터 2021년 7월 16일까지(총 1회) 실시할 예정입니다. 본 연구에서 수집되는 개인 정보는 성별과 학년입니다. 설문조사에는 약 10분의 시간이 소요될 예정입니다. 바쁘시겠지만 여러분의 응답이 향후 학생주도성을 함양하는 데 많은 영향을 미치게 된다는 점을 감안하시어 적극적인 협조 부탁드립니다.

연구참여(설문조사 참여)로 예상되는 부작용이나 위험 요소는 없으며, 참여자는 설문조사 참여 여부를 스스로 결정할 수 있고 불참하더라도 어떠한 불이익을 받지 않으며, 참여 도중에도 언제든 중지할 수 있습니다.

모든 설문조사의 내용 및 설문을 통해 습득된 정보는 제3자에게 유출되지 않도록 주의해 주시기 바랍니다.

귀하의 응답 내용은 통계법 제33조(비밀의 보호)와 제34조(통계종사자 등의 의무)에 의거하여 철저히 비밀을 보호하고, 오직 연구와 정책 수립의 목적으로만 활용할 것을 약속드립니다. 감사합니다.

2021년 6월

경기도교육연구원

연구책임자 조윤정 연구위원

※ 관련 문의

성명: 조윤정(연구책임자)

동 의 서

연 구 제 목: 학생주도성 측정도구 개발 연구

연구책임자: 조윤정(경기도교육연구원 연구위원)

1. 나는 본 연구의 설명서를 모두 읽었습니다.

2. 나는 연구 참여에 따른 위험과 이득에 대하여 읽고 충분히 이해하였습니다.

3. 나는 이 연구에 참여하는 것에 자발적으로 동의합니다.

4. 나는 언제라도 이 연구의 참여를 철회할 수 있고, 이러한 결정이 나에게 어떠한 불이익도 주지 않을 것이라는 것을 알고 있습니다.

위 내용에 동의하십니까?

☐ 설문조사 참여에 동의합니다.

☐ 설문조사 참여에 동의하지 않습니다. (→설문조사 종료)

1. 다음은 귀하의 배경을 묻는 질문입니다. 해당되는 곳에 ✓표시
   해 주시기 바랍니다.

   (1) 성별
      ① 남자   ② 여자

   (2) 학년
      ① 중학교 1학년   ② 중학교 2학년   ③ 중학교 3학년
      ④ 고등학교 1학년   ⑤ 고등학교 2학년

2. 다음은 나의 태도를 묻는 문항입니다. 자신을 가장 잘 나타내고
   있다고 생각되는 칸에 ✓표시해 주시기 바랍니다. 한 문항도 빠
   짐없이 응답해주시기 바랍니다.

No	문항	① 전혀그렇지않다	② 그렇지않다	③ 보통이다	④ 그렇다	⑤ 매우그렇다
1	나는 모르는 것들을 알기 위해 노력한다.					
2	새로운 것을 배우는 것이 즐겁다.					
3	내가 관심 있는 분야에 대해 알기 위해 노력한다.					
4	힘들고 어려운 일이라도 배울 점이 있다고 믿는다.					
5	나는 내가 할 일을 해낼 만큼 충분한 능력을 갖고 있다.					
6	나는 어려운 상황에서도 잘 이겨낼 수 있다.					

No	문항	① 전혀 그렇지 않다	② 그렇지 않다	③ 보통이다	④ 그렇다	⑤ 매우 그렇다
7	나는 주어진 환경과 상황에 대처할 수 있는 능력이 있다.					
8	나는 내가 해야겠다고 생각하는 일은 스스로 해결할 수 있다.					
9	나는 내가 한 행동에 대해서 다시 한번 생각해본다.					
10	내가 겪는 경험들이 나에게 어떤 의미가 있는지 생각해본다.					
11	나는 내가 하는 행동이 나와 다른 사람들에게 미치는 영향에 대해서 생각해본다.					
12	어떤 활동을 할 때 실수한 부분이 있으면 다음 번에는 잘 할 수 있는 방법을 생각해본다.					
13	적극적이고 능동적인 태도를 갖는다면 내 삶이 나아질 것이라고 생각한다.					
14	열심히 노력하면 내 삶을 개척할 수 있다고 생각한다.					
15	새로운 것을 배우고 공부하면 성장할 것이라고 생각한다.					
16	어려운 일을 완수하지 못했을 때, 다음 번에 그 일을 할 때는 더 열심히 노력하겠다고 마음먹는다.					

3. 다음은 나의 행동을 묻는 문항입니다. 자신을 가장 잘 나타내고 있다고 생각되는 칸에 ✓표시해 주시기 바랍니다. 한 문항도 빠짐없이 응답해주시기 바랍니다.

No	문항	① 전혀 그렇지 않다	② 그렇지 않다	③ 보통이다	④ 그렇다	⑤ 매우 그렇다
1	내가 하고자 하는 일에 대해서는 목표를 스스로 세운다.					
2	달성 가능 여부를 고려하여 목표를 세운다.					
3	좋은 아이디어가 떠오를 때 실행할 수 있는 계획을 세운다.					
4	어떤 일을 시작할 때 구체적으로 계획을 세운다.					
5	목표를 이루기 위해 필요한 것은 스스로 학습한다.					
6	해야 할 일이 많으면 순서를 정하여 하나씩 해결해 나간다.					
7	목표를 이루기 위해 시간을 잘 관리하고 활용한다.					
8	내가 좋아서 선택하고 목표를 정한 일에 최선을 다한다.					
9	문제를 해결하기 위해서 다양한 방법과 자료를 찾아본다.					
10	하고자 하는 일은 어떤 어려움이 있더라도 포기하지 않고 끝까지 해낸다.					
11	주변 상황 때문에 방해받더라도 인내심을 갖고 목표를 달성하기 위해 노력한다.					
12	일이 계획대로 안 될 때 다른 방법들을 찾아본다.					
13	내가 좋아하는 일을 잘 할 수 있을 때까지 열심히 한다.					

4. 다음은 친구들과의 협력과 참여에 대해 묻는 문항입니다. 자신을 가장 잘 나타내고 있다고 생각되는 칸에 ✓표시해 주시기 바랍니다. 한 문항도 빠짐없이 응답해주시기 바랍니다.

No	문항	① 전혀 그렇지 않다	② 그렇지 않다	③ 보통이다	④ 그렇다	⑤ 매우 그렇다
1	다른 사람의 이야기를 잘 경청한다.					
2	상대방의 말을 들을 때는 그 의도를 파악하기 위해 표정과 몸짓도 함께 살핀다.					
3	내가 말하고자 하는 것을 근거를 통해 명확하게 표현한다.					
4	나는 내가 생각하고 느끼는 것을 다른 사람들에게 잘 이해시킨다.					
5	다른 사람과 내 생각이 다를 때 적극적으로 의견을 조정한다.					
6	나는 상대방의 입장을 잘 이해할 수 있다.					
7	다른 사람의 의견이 내 생각과 다르더라도 내 의견만 고집하지 않는다.					
8	상대방과 의견 충돌이 생길 때 서로에게 도움이 되는 해결방식이 무엇인지 생각해 본다.					
9	과제나 활동을 혼자서 하는 것보다 다른 친구들과 함께 해결하는 것이 더 효과적이다.					
10	나는 과제나 활동을 친구들과 함께 하길 좋아한다.					
11	과제를 함께 하는 과정에서 친구들과 좋은 관계를 맺기 위해 노력한다.					

No	문항	① 전혀 그렇지 않다	② 그렇지 않다	③ 보통이다	④ 그렇다	⑤ 매우 그렇다
12	내가 배우고 알게 된 내용을 친구들과 공유한다.					
13	내가 속한 곳(학교, 지역사회 등)에서 일어나는 일들에 관심을 가진다.					
14	좋은 사회는 시민들의 노력으로 만들 수 있다.					
15	기후변화, 환경오염 등과 같은 문제는 나에게도 밀접한 관련이 있다.					
16	학급이나 동아리 자치활동에서 적극적으로 의견을 말하고 토론한다.					
17	내가 속한 곳(학교, 지역사회 등)에서 어떤 문제가 발생할 때 내가 할 수 있는 일에 적극적으로 참여할 것이다.					
18	투표권을 갖는 나이가 되면, 선거와 투표에 꼭 참여할 것이다.					
19	어려운 처지에 있는 다른 나라를 돕는 일에 참여할 생각이 있다.					

※ 참여해주셔서 대단히 감사합니다

부록2. 사전, 사후설문 대응표본 검정

		대응차					t	자유도	유의 확률 (양쪽)
		평균	표준 편차	평균의 표준 오차	차이의 95% 신뢰구간		t	자유도	유의 확률 (양쪽)
					하한	상한			
대응 1	동기1 - 후동기1	-.341	1.015	.159	-.662	-.021	-2.154	40	.037
대응 2	동기2 - 후동기2	-.390	1.376	.215	-.825	.044	-1.816	40	.077
대응 3	동기3 - 후동기3	-.325	1.328	.210	-.750	.100	-1.548	39	.130
대응 4	동기4 - 후동기4	-.250	1.235	.195	-.645	.145	-1.280	39	.208
대응 5	자기효능감1 - 후효능감1	-.475	1.198	.189	-.858	-.092	-2.508	39	.016
대응 6	자기효능감2 - 후효능감2	-.293	1.521	.237	-.773	.187	-1.232	40	.225
대응 7	자기효능감3 - 후효능감3	-.375	1.497	.237	-.854	.104	-1.585	39	.121
대응 8	자기효능감4 - 후효능감4	-.610	1.498	.234	-1.083	-.137	-2.606	40	.013
대응 9	자기성찰1 - 후성찰1	-.250	1.373	.217	-.689	.189	-1.152	39	.256
대응 10	자기성찰2 - 후성찰2	-.146	1.526	.238	-.628	.335	-.614	40	.543
대응 11	자기성찰3 - 후성찰3	-.150	1.528	.242	-.639	.339	-.621	39	.538
대응 12	자기성찰4 - 후성찰4	-.146	1.389	.217	-.585	.292	-.675	40	.504
대응 13	성장마인드셋1 - 후마인드1	-.250	1.660	.263	-.781	.281	-.952	39	.347
대응 14	성장마인드셋2 - 후마인드2	-.200	1.436	.227	-.659	.259	-.881	39	.384
대응 15	성장마인드셋3 - 후마인드3	-.410	1.585	.254	-.924	.103	-1.617	38	.114

		대응차					t	자유도	유의확률(양쪽)
		평균	표준편차	평균의 표준오차	차이의 95% 신뢰구간				
					하한	상한			
대응 16	성장마인드셋4 – 후마인드4	-.575	1.599	.253	-1.087	-.063	-2.274	39	.029
대응 17	목표설정1 – 후목표1	-.450	1.395	.221	-.896	-.004	-2.040	39	.048
대응 18	목표설정2 – 후목표2	-.350	1.562	.247	-.849	.149	-1.418	39	.164
대응 19	목표설정3 – 후목표3	-.308	1.398	.224	-.761	.146	-1.374	38	.177
대응 20	목표설정4 – 후목표4	-.350	1.578	.249	-.855	.155	-1.403	39	.169
대응 21	주도적실행1 – 후주도1	-.550	1.797	.284	-1.125	.025	-1.936	39	.060
대응 22	주도적실행2 – 후주도2	-.333	1.034	.166	-.669	.002	-2.012	38	.051
대응 23	주도적실행3 – 후주도3	-.105	1.410	.229	-.569	.358	-.460	37	.648
대응 24	주도적실행4 – 후주도4	-.400	1.392	.220	-.845	.045	-1.817	39	.077
대응 25	노력지속1 – 후노력1	-.450	1.663	.263	-.982	.082	-1.711	39	.095
대응 26	노력지속2 – 후노력2	-.368	1.634	.265	-.906	.169	-1.390	37	.173
대응 27	노력지속3 – 후노력3	-.275	1.633	.258	-.797	.247	-1.065	39	.293
대응 28	노력지속4 – 후노력4	-.282	1.317	.211	-.709	.145	-1.338	38	.189
대응 29	의사소통1 – 후의사1	-.220	1.151	.180	-.583	.144	-1.221	40	.229
대응 30	의사소통2 – 후의사2	-.475	1.536	.243	-.966	.016	-1.956	39	.058
대응 31	의사소통3 – 후의사3	-.564	1.603	.257	-1.084	-.045	-2.198	38	.034
대응 32	의사소통4 – 후의사4	-.400	1.582	.250	-.906	.106	-1.599	39	.118

		대응차					t	자유도	유의확률(양쪽)
		평균	표준편차	평균의 표준오차	차이의 95% 신뢰구간		t	자유도	유의확률(양쪽)
					하한	상한			
대응33	의사소통5 – 후의사5	-.350	1.511	.239	-.833	.133	-1.465	39	.151
대응34	배려1 – 후배려1	-.250	1.354	.214	-.683	.183	-1.168	39	.250
대응35	배려2 – 후배려2	-.475	1.519	.240	-.961	.011	-1.978	39	.055
대응36	배려3 – 후배려3	-.333	1.264	.202	-.743	.076	-1.648	38	.108
대응37	협력1 – 후협력1	-.366	1.199	.187	-.744	.013	-1.954	40	.058
대응38	협력2 – 후협력2	-.525	1.450	.229	-.989	-.061	-2.290	39	.027
대응39	협력3 – 후협력3	-.675	1.185	.187	-1.054	-.296	-3.602	39	.001
대응40	협력4 – 후협력4	-.700	1.588	.251	-1.208	-.192	-2.787	39	.008
대응41	공동체의식1 – 후공동체1	-.462	1.335	.214	-.894	-.029	-2.160	38	.037
대응42	공동체의식2 – 후공동체2	-.585	1.322	.207	-1.003	-.168	-2.834	40	.007
대응43	공동체의식3 – 후공동체3	-.769	1.385	.222	-1.218	-.320	-3.468	38	.001
대응44	참여1 – 후참여1	-.250	1.276	.202	-.658	.158	-1.239	39	.223
대응45	참여2 – 후참여2	-.463	1.286	.201	-.869	-.057	-2.307	40	.026
대응46	참여3 – 후참여3	-.487	1.571	.252	-.996	.022	-1.937	38	.060
대응47	참여4 – 후참여4	-.390	1.181	.184	-.763	-.018	-2.116	40	.041
대응48	주도적실행5 – 후주도5	-.564	1.714	.274	-1.120	-.009	-2.056	38	.047

데이터 분석: 진용성 선생님

부록3. 사전, 사후설문 대응표본 기술통계

		평균	N	표준편차	평균의 표준오차
대응 1	동기1	3.56	41	.976	.152
	후동기1	3.90	41	.800	.125
대응 2	동기2	3.63	41	1.067	.167
	후동기2	4.02	41	.961	.150
대응 3	동기3	3.70	40	.911	.144
	후동기3	4.03	40	.862	.136
대응 4	동기4	3.50	40	.906	.143
	후동기4	3.75	40	.981	.155
대응 5	자기효능감1	3.30	40	.992	.157
	후효능감1	3.78	40	.920	.145
대응 6	자기효능감2	3.32	41	.986	.154
	후효능감2	3.61	41	1.115	.174
대응 7	자기효능감3	3.35	40	1.099	.174
	후효능감3	3.73	40	.847	.134
대응 8	자기효능감4	3.32	41	1.035	.162
	후효능감4	3.93	41	1.010	.158
대응 9	자기성찰1	3.45	40	1.108	.175
	후성찰1	3.70	40	.911	.144
대응 10	자기성찰2	3.44	41	1.050	.164
	후성찰2	3.59	41	1.072	.167
대응 11	자기성찰3	3.18	40	.984	.156
	후성찰3	3.33	40	.971	.154
대응 12	자기성찰4	3.88	41	.927	.145
	후성찰4	4.02	41	.961	.150
대응 13	성장마인드셋1	3.53	40	.960	.152
	후마인드1	3.78	40	1.050	.166
대응 14	성장마인드셋2	3.88	40	.939	.148
	후마인드2	4.08	40	.888	.140
대응 15	성장마인드셋3	3.67	39	1.084	.174
	후마인드3	4.08	39	1.061	.170

		평균	N	표준편차	평균의 표준오차
대응 16	성장마인드셋4	3.58	40	1.107	.175
	후마인드4	4.15	40	.949	.150
대응 17	목표설정1	3.40	40	.928	.147
	후목표1	3.85	40	1.027	.162
대응 18	목표설정2	3.35	40	.893	.141
	후목표2	3.70	40	1.091	.172
대응 19	목표설정3	3.36	39	.903	.145
	후목표3	3.67	39	1.034	.166
대응 20	목표설정4	3.25	40	1.032	.163
	후목표4	3.60	40	1.172	.185
대응 21	주도적실행1	3.13	40	1.114	.176
	후주도1	3.68	40	1.228	.194
대응 22	주도적실행2	3.56	39	.995	.159
	후주도2	3.90	39	.852	.136
대응 23	주도적실행3	3.42	38	1.056	.171
	후주도3	3.53	38	.922	.150
대응 24	주도적실행4	3.65	40	1.145	.181
	후주도4	4.05	40	.876	.138
대응 25	노력지속1	3.33	40	1.095	.173
	후노력1	3.78	40	1.050	.166
대응 26	노력지속2	3.47	38	1.156	.188
	후노력2	3.84	38	1.053	.171
대응 27	노력지속3	3.50	40	1.109	.175
	후노력3	3.78	40	1.143	.181
대응 28	노력지속4	3.95	39	.972	.156
	후노력4	4.23	39	.777	.124
대응 29	의사소통1	3.61	41	.945	.148
	후의사1	3.83	41	1.022	.160
대응 30	의사소통2	3.18	40	1.059	.168
	후의사2	3.65	40	1.027	.162
대응 31	의사소통3	3.03	39	1.088	.174
	후의사3	3.59	39	1.117	.179
대응 32	의사소통4	3.15	40	1.099	.174
	후의사4	3.55	40	.904	.143

		평균	N	표준편차	평균의 표준오차
대응 33	의사소통5	3.13	40	.992	.157
	후의사5	3.48	40	1.012	.160
대응 34	배려1	3.48	40	.987	.156
	후배려1	3.73	40	.933	.148
대응 35	배려2	3.40	40	1.081	.171
	후배려2	3.88	40	1.067	.169
대응 36	배려3	3.31	39	1.030	.165
	후배려3	3.64	39	.932	.149
대응 37	협력1	3.78	41	1.129	.176
	후협력1	4.15	41	.882	.138
대응 38	협력2	3.58	40	1.130	.179
	후협력2	4.10	40	1.128	.178
대응 39	협력3	3.38	40	1.079	.171
	후협력3	4.05	40	.749	.118
대응 40	협력4	3.18	40	1.083	.171
	후협력4	3.88	40	1.137	.180
대응 41	공동체의식1	3.41	39	1.044	.167
	후공동체1	3.87	39	1.031	.165
대응 42	공동체의식2	3.56	41	1.026	.160
	후공동체2	4.15	41	.882	.138
대응 43	공동체의식3	3.26	39	1.019	.163
	후공동체3	4.03	39	.843	.135
대응 44	참여1	3.13	40	1.159	.183
	후참여1	3.38	40	1.170	.185
대응 45	참여2	3.27	41	.975	.152
	후참여2	3.73	41	1.001	.156
대응 46	참여3	3.49	39	1.073	.172
	후참여3	3.97	39	1.038	.166
대응 47	참여4	3.63	41	1.135	.177
	후참여4	4.02	41	.935	.146
대응 48	주도적실행5	3.08	39	1.201	.192
	후주도5	3.64	39	1.158	.185

데이터 분석: 진용성 선생님

부록4. 사전, 사후설문 대응표본 상관계수

		N	상관계수	유의확률
대응 1	동기1 & 후동기1	41	.360	.021
대응 2	동기2 & 후동기2	41	.082	.610
대응 3	동기3 & 후동기3	40	-.121	.458
대응 4	동기4 & 후동기4	40	.144	.374
대응 5	자기효능감1 & 후효능감1	40	.216	.180
대응 6	자기효능감2 & 후효능감2	41	-.044	.786
대응 7	자기효능감3 & 후효능감3	40	-.169	.296
대응 8	자기효능감4 & 후효능감4	41	-.073	.651
대응 9	자기성찰1 & 후성찰1	40	.086	.596
대응 10	자기성찰2 & 후성찰2	41	-.034	.832
대응 11	자기성찰3 & 후성찰3	40	-.222	.169
대응 12	자기성찰4 & 후성찰4	41	-.081	.616
대응 13	성장마인드셋1 & 후마인드1	40	-.363	.021
대응 14	성장마인드셋2 & 후마인드2	40	-.234	.145
대응 15	성장마인드셋3 & 후마인드3	39	-.092	.580
대응 16	성장마인드셋4 & 후마인드4	40	-.206	.201
대응 17	목표설정1 & 후목표1	40	-.016	.921
대응 18	목표설정2 & 후목표2	40	-.232	.150
대응 19	목표설정3 & 후목표3	39	-.038	.820
대응 20	목표설정4 & 후목표4	40	-.021	.897
대응 21	주도적실행1 & 후주도1	40	-.176	.278
대응 22	주도적실행2 & 후주도2	39	.381	.017
대응 23	주도적실행3 & 후주도3	38	-.012	.944
대응 24	주도적실행4 & 후주도4	40	.069	.672
대응 25	노력지속1 & 후노력1	40	-.202	.210
대응 26	노력지속2 & 후노력2	38	-.092	.582
대응 27	노력지속3 & 후노력3	40	-.051	.757
대응 28	노력지속4 & 후노력4	39	-.123	.454
대응 29	의사소통1 & 후의사1	41	.317	.043
대응 30	의사소통2 & 후의사2	40	-.084	.608
대응 31	의사소통3 & 후의사3	39	-.056	.735

		N	상관계수	유의확률
대응 32	의사소통4 & 후의사4	40	−.240	.136
대응 33	의사소통5 & 후의사5	40	−.137	.398
대응 34	배려1 & 후배려1	40	.006	.969
대응 35	배려2 & 후배려2	40	.000	1.000
대응 36	배려3 & 후배려3	39	.173	.292
대응 37	협력1 & 후협력1	41	.309	.049
대응 38	협력2 & 후협력2	40	.175	.280
대응 39	협력3 & 후협력3	40	.198	.220
대응 40	협력4 & 후협력4	40	−.023	.886
대응 41	공동체의식1 & 후공동체1	39	.172	.294
대응 42	공동체의식2 & 후공동체2	41	.045	.779
대응 43	공동체의식3 & 후공동체3	39	−.100	.545
대응 44	참여1 & 후참여1	40	.400	.011
대응 45	참여2 & 후참여2	41	.152	.341
대응 46	참여3 & 후참여3	39	−.107	.518
대응 47	참여4 & 후참여4	41	.362	.020
대응 48	주도적실행5 & 후주도5	39	−.055	.738

데이터 분석: 진용성 선생님